U0119968

中國美術全集

中國美術全集

墓室壁畫二

全國百佳圖书出版單位
ARTTIME 時代出版
時代出版傳媒股份有限公司
黄山書社

目　　録

隋唐五代十國（公元五八一年至公元九六〇年）

頁碼	名稱	時代	出土發現地	收藏地
269	儀仗圖	隋	山東嘉祥縣英山徐敏行夫婦合葬墓	
270	備騎出行圖	隋	山東嘉祥縣英山徐敏行夫婦合葬墓	
271	伎樂圖	隋	山東嘉祥縣英山徐敏行夫婦合葬墓	
271	牛車出行圖	隋	山東嘉祥縣英山徐敏行夫婦合葬墓	
272	跪坐人物圖	隋	山西太原市晋源區王郭村虞弘墓	
272	石槨壁畫	隋	山西太原市晋源區王郭村虞弘墓	
273	舞蹈圖	隋	山西太原市晋源區王郭村虞弘墓	
274	飲酒行樂圖	隋	山西太原市晋源區王郭村虞弘墓	
276	飲酒戲犬圖	隋	山西太原市晋源區王郭村虞弘墓	
276	飲酒圖	隋	山西太原市晋源區王郭村虞弘墓	
277	狩獵圖	隋	山西太原市晋源區王郭村虞弘墓	
277	狩獵圖	隋	山西太原市晋源區王郭村虞弘墓	
278	儀仗圖	隋	陝西潼關縣高橋鄉税村隋墓	
279	執刀武士圖	隋	寧夏固原市開城鎮小馬莊村史射勿墓	
280	執笏侍從圖	隋	寧夏固原市開城鎮小馬莊村史射勿墓	
280	執笏宦官圖	隋	寧夏固原市開城鎮小馬莊村史射勿墓	
281	侍女圖	隋	寧夏固原市開城鎮小馬莊村史射勿墓	
281	列戟圖	唐	陝西三原縣陵前鎮焦村李壽墓	
282	出行儀仗圖	唐	陝西三原縣陵前鎮焦村李壽墓	
283	出行儀仗圖	唐	陝西三原縣陵前鎮焦村李壽墓	
284	衛士圖	唐	陝西禮泉縣烟霞鎮陵光村長樂公主墓	
284	給使圖	唐	陝西禮泉縣烟霞鎮陵光村長樂公主墓	
285	儀仗圖	唐	陝西禮泉縣烟霞鎮陵光村長樂公主墓	
286	儀仗圖	唐	陝西禮泉縣烟霞鎮陵光村長樂公主墓	
286	殿門圖	唐	陝西禮泉縣烟霞鎮陵光村長樂公主墓	
287	三仕女圖	唐	陝西禮泉縣烟霞鎮張家山村段簡壁墓	
288	給使圖	唐	陝西禮泉縣烟霞鎮張家山村段簡壁墓	
288	給使圖	唐	陝西禮泉縣烟霞鎮張家山村段簡壁墓	

頁碼	名稱	時代	出土發現地	收藏地
289	給使圖	唐	陝西禮泉縣烟霞鎮張家山村段簡璧墓	
289	巾舞圖	唐	陝西西安市長安區郭杜鎮執失奉節墓	
290	牽馬圖	唐	陝西禮泉縣烟霞鎮東坪村新城長公主墓	
290	侍女圖	唐	陝西禮泉縣烟霞鎮東坪村新城長公主墓	
291	侍女圖	唐	陝西禮泉縣烟霞鎮東坪村新城長公主墓	
292	侍女圖	唐	陝西禮泉縣烟霞鎮東坪村新城長公主墓	
292	侍女圖	唐	陝西禮泉縣烟霞鎮東坪村新城長公主墓	
293	侍女圖	唐	陝西禮泉縣烟霞鎮東坪村新城長公主墓	
294	侍女圖	唐	陝西禮泉縣烟霞鎮東坪村新城長公主墓	
295	侍女圖	唐	陝西禮泉縣烟霞鎮東坪村新城長公主墓	
296	侍女圖	唐	陝西禮泉縣烟霞鎮東坪村新城長公主墓	
297	侍女圖	唐	陝西禮泉縣烟霞鎮東坪村新城長公主墓	
298	戲鴨圖	唐	陝西禮泉縣李震墓	陝西省昭陵博物館
299	儀衛圖	唐	陝西禮泉縣韋貴妃墓	
300	門吏圖	唐	陝西禮泉縣韋貴妃墓	
300	衛弁圖	唐	陝西禮泉縣韋貴妃墓	
301	持笏給使圖	唐	陝西禮泉縣韋貴妃墓	
301	持笏給使圖	唐	陝西禮泉縣韋貴妃墓	
302	備馬圖	唐	陝西禮泉縣韋貴妃墓	
303	雙螺髻侍女圖	唐	陝西禮泉縣韋貴妃墓	
303	拱手侍女圖	唐	陝西禮泉縣韋貴妃墓	
304	彈琴女伎圖	唐	陝西禮泉縣韋貴妃墓	
305	舞蹈女伎圖	唐	陝西禮泉縣韋貴妃墓	
306	吹笛侍女圖	唐	陝西西安市羊頭鎮李爽墓	
306	吹簫侍女圖	唐	陝西西安市羊頭鎮李爽墓	
307	執拂塵侍女圖	唐	陝西西安市羊頭鎮李爽墓	
307	托盤侍女圖	唐	陝西西安市羊頭鎮李爽墓	
308	掮柳枝侍女圖	唐	陝西禮泉縣烟霞鎮東坪村燕妃墓	
308	捧羃䍦侍女圖	唐	陝西禮泉縣烟霞鎮東坪村燕妃墓	
309	持扇侍女圖	唐	陝西禮泉縣烟霞鎮東坪村燕妃墓	
309	捧洗侍女圖	唐	陝西禮泉縣烟霞鎮東坪村燕妃墓	
310	二女伎對舞圖	唐	陝西禮泉縣烟霞鎮東坪村燕妃墓	
312	奏樂圖	唐	陝西禮泉縣烟霞鎮東坪村燕妃墓	
314	屏風畫	唐	陝西禮泉縣烟霞鎮東坪村燕妃墓	

頁碼	名稱	時代	出土發現地	收藏地
314	屏風畫	唐	陝西禮泉縣烟霞鎮東坪村燕妃墓	
315	屏風畫	唐	陝西禮泉縣烟霞鎮東坪村燕妃墓	
315	屏風畫	唐	陝西禮泉縣烟霞鎮東坪村燕妃墓	
316	舞蹈圖	唐	陝西高陵縣鹿苑鎮馬家灣村李晦墓	
317	捧物侍女圖	唐	陝西高陵縣鹿苑鎮馬家灣村李晦墓	
317	侍女圖	唐	陝西西安市灞橋區唐金鄉縣主墓	
318	牽馬圖	唐	寧夏固原市開城鎮羊坊村梁元珍墓	
318	牽馬圖	唐	寧夏固原市開城鎮羊坊村梁元珍墓	
319	男裝侍女圖	唐	寧夏固原市開城鎮羊坊村梁元珍墓	
319	樹下老人圖	唐	寧夏固原市開城鎮羊坊村梁元珍墓	
320	白虎與樹下人物圖	唐	山西太原市金勝村化工焦化廠7號墓	
321	持杖侍女圖	唐	山西太原市金勝村化工焦化廠7號墓	
322	門吏與朱雀圖	唐	山西太原市金勝村化工焦化廠7號墓	
323	玄武圖	唐	山西太原市金勝村化工焦化廠7號墓	
324	牽駝馬圖	唐	山西太原市金勝村化工焦化廠7號墓	
325	青龍圖	唐	山西太原市金勝村化工焦化廠7號墓	
326	仕女與女童圖	唐	山西太原市金勝村337號墓	
327	馬球圖	唐	陝西乾縣章懷太子李賢墓	
330	狩獵出行圖	唐	陝西乾縣章懷太子李賢墓	
336	客使禮賓圖	唐	陝西乾縣章懷太子李賢墓	
338	儀仗圖	唐	陝西乾縣章懷太子李賢墓	
340	謁吏圖	唐	陝西乾縣章懷太子李賢墓	
340	侍者圖	唐	陝西乾縣章懷太子李賢墓	
341	侍女圖	唐	陝西乾縣章懷太子李賢墓	
341	交談圖	唐	陝西乾縣章懷太子李賢墓	
342	侍女圖	唐	陝西乾縣章懷太子李賢墓	
343	觀鳥捕蟬圖	唐	陝西乾縣章懷太子李賢墓	
344	宮女及侏儒圖	唐	陝西乾縣章懷太子李賢墓	
345	宮女及侏儒圖	唐	陝西乾縣章懷太子李賢墓	
345	仕女圖	唐	陝西乾縣章懷太子李賢墓	
346	園中人物圖	唐	陝西乾縣章懷太子李賢墓	
347	闕樓圖	唐	陝西乾縣懿德太子李重潤墓	
348	闕樓圖	唐	陝西乾縣懿德太子李重潤墓	
349	出行儀仗圖	唐	陝西乾縣懿德太子李重潤墓	

頁碼	名稱	時代	出土發現地	收藏地
350	太子輅車圖	唐	陝西乾縣懿德太子李重潤墓	
351	馴豹圖	唐	陝西乾縣懿德太子李重潤墓	
352	列戟和儀衛圖	唐	陝西乾縣懿德太子李重潤墓	
353	男侍圖	唐	陝西乾縣懿德太子李重潤墓	
354	内侍圖	唐	陝西乾縣懿德太子李重潤墓	
355	持扇侍女圖	唐	陝西乾縣懿德太子李重潤墓	
356	持扇侍女圖	唐	陝西乾縣懿德太子李重潤墓	
357	花草紋圖	唐	陝西乾縣懿德太子李重潤墓	
358	侍女圖	唐	陝西乾縣懿德太子李重潤墓	
359	侍女圖	唐	陝西乾縣懿德太子李重潤墓	
360	侍女圖	唐	陝西乾縣懿德太子李重潤墓	
361	侍女圖	唐	陝西乾縣永泰公主李仙蕙墓	
362	侍女圖	唐	陝西乾縣永泰公主李仙蕙墓	
363	男侍圖	唐	陝西西安市長安區南里王村韋洞墓	
364	侍女圖	唐	陝西西安市長安區南里王村韋洞墓	
364	侍女圖	唐	陝西西安市長安區南里王村韋浩墓	
365	高士圖	唐	陝西西安市長安區南里王村韋浩墓	
366	高士圖	唐	陝西西安市長安區南里王村韋浩墓	
366	觀花侍女圖	唐	陝西西安市長安區南里王村韋浩墓	
367	喂鳥侍女圖	唐	陝西西安市長安區南里王村韋浩墓	
367	持蒲扇侍女圖	唐	陝西西安市長安區南里王村韋浩墓	
368	侍女圖	唐	陝西咸陽市底張灣薛氏墓	
368	侍女圖	唐	陝西咸陽市底張灣薛氏墓	
369	男侍圖	唐	陝西咸陽市底張灣薛氏墓	
369	女樂圖	唐	陝西咸陽市底張灣薛氏墓	
370	男樂圖	唐	陝西咸陽市底張灣薛氏墓	
370	持戟儀衛圖	唐	陝西富平縣宫里鎮南陵村節愍太子墓	
371	馬球圖	唐	陝西富平縣宫里鎮南陵村節愍太了墓	
371	持戟儀衛圖	唐	陝西富平縣宫里鎮南陵村節愍太子墓	
372	樹石圖	唐	陝西富平縣宫里鎮南陵村節愍太子墓	
373	樹石圖	唐	陝西富平縣宫里鎮南陵村節愍太子墓	
373	侍女圖	唐	陝西富平縣宫里鎮南陵村節愍太子墓	
374	侍女頭部圖	唐	陝西富平縣宫里鎮南陵村節愍太子墓	
375	侍女圖	唐	陝西富平縣宫里鎮南陵村節愍太子墓	

伎樂圖

隋
出于山東嘉祥縣英山徐敏行夫婦合葬墓墓室北壁左側。
高65、寬55厘米。
畫面表現墓主人宴享行樂時樂隊演奏場面。

牛車出行圖

隋
出于山東嘉祥縣英山徐敏行夫婦合葬墓墓室東壁右側。
高62厘米。
圖中牛車爲通幰，表明墓主身份較高。

跪坐人物圖

隋

出于山西太原市晋源區王郭村虞弘墓石椁外壁上欄。

高96、寬47.5厘米。

此墓墓主人爲北周檢校薩保府、隋儀同大將軍虞弘，卒于開皇十二年（公元592年）。

圖中上邊與左右邊緣爲墨綫繪的花草葉蔓，中部繪一成年男子。男子黑色鬈短髮，深目高鼻，大髯鬚，戴耳環，跪坐于一方形小氈毯上。雙手端盤舉于胸前。

石椁壁畫（下圖）

隋

出于山西太原市晋源區王郭村虞弘墓石椁座後壁。

畫面分爲兩欄。上欄爲壁龕圖像六幅，龕内彩繪人物、花卉紋飾和動物等圖案；下欄爲壼門圖像二幅，壼門内彩繪狩獵圖案。

舞蹈圖

隋

出于山西太原市晋源區王郭村虞弘墓石椁座後壁上欄。圖中右側繪一舞者，有緑色頭光，袒上身，戴項圈和手鐲，肩披長帔，下穿短褲，左手執物正在圓形地毯上舞蹈；左側繪一有緑色頭光的人物，手捧果盤，觀賞跳舞。

飲酒行樂圖

隋

出于山西太原市晋源區王郭村虞弘墓石槨座後壁上欄。圖中二人皆有頭光。左側人物戴花冠，頭後有飄帶，頸戴項圈，側身坐于條紋束帛座上，右手端碗，左手執酒瓶；右側人物懷抱琵琶演奏。

飲酒戲犬圖（上圖）

隋

出于山西太原市晋源區王郭村虞弘墓石椁座後壁上欄。圖中左側人物深目高鼻，雙手端碗遞與右側之人；右側人物亦深目高鼻，鼻下兩撇髯子，左手于胸前指捏一物，右手接碗，扭首戲犬。

飲酒圖

隋

出于山西太原市晋源區王郭村虞弘墓石椁座後壁上欄。圖中二人皆有緑色頭光。左側人物彎腰躬身，雙手捧一高足杯遞與右側之人；右側人物坐于束帛座上，右手接高足杯。二人之間繪一酒瓶，右側人物身后繪一犬。

狩獵圖（上圖）

隋

出于山西太原市晋源區王郭村虞弘墓石椁座後壁下欄。圖中騎者深目高鼻，黑色長髮，戴項圈，身穿圓領窄袖長袍，繫腰帶，足穿短靴，騎馬拉弓追逐前方奔鹿。

狩獵圖

隋

出于山西太原市晋源區王郭村虞弘墓石椁座後壁下欄。圖中騎者有白色頭光，深目高鼻，髯鬚連鬢，身穿圓領半袖長衫，下穿長褲，足穿短靴，手持長矛追逐一隻大羚羊。

儀仗圖

隋

出于陝西潼關縣高橋鄉稅村隋墓墓道東壁。

此墓墓道東、西二壁繪出行儀仗圖，各有四十六個人物、一匹鞍馬和一架列戟，人物皆爲男性。

執刀武士圖（兩幅）

隋

出于寧夏固原市開城鎮小馬莊村史射勿墓第一天井處。
高164、155厘米。
墓内隨葬大業五年（公元609年）墓志。
此墓墓主人爲隋驃騎將軍。
圖中武士深目、高鼻、虬髯，仗刀而立。

執刀武士圖之一

執刀武士圖之二

執笏侍從圖

隋

出于寧夏固原市開城鎮小馬莊村史射勿墓第二過洞與第二天井之間。

高140厘米。

圖中武官深目、高鼻、虬髯，執笏而立。

執笏宦官圖

隋

出于寧夏固原市開城鎮小馬莊村史射勿墓第二天井處。

高125厘米。

圖中宦官身着白色圓領長袍，雙手執笏側身作進謁狀。

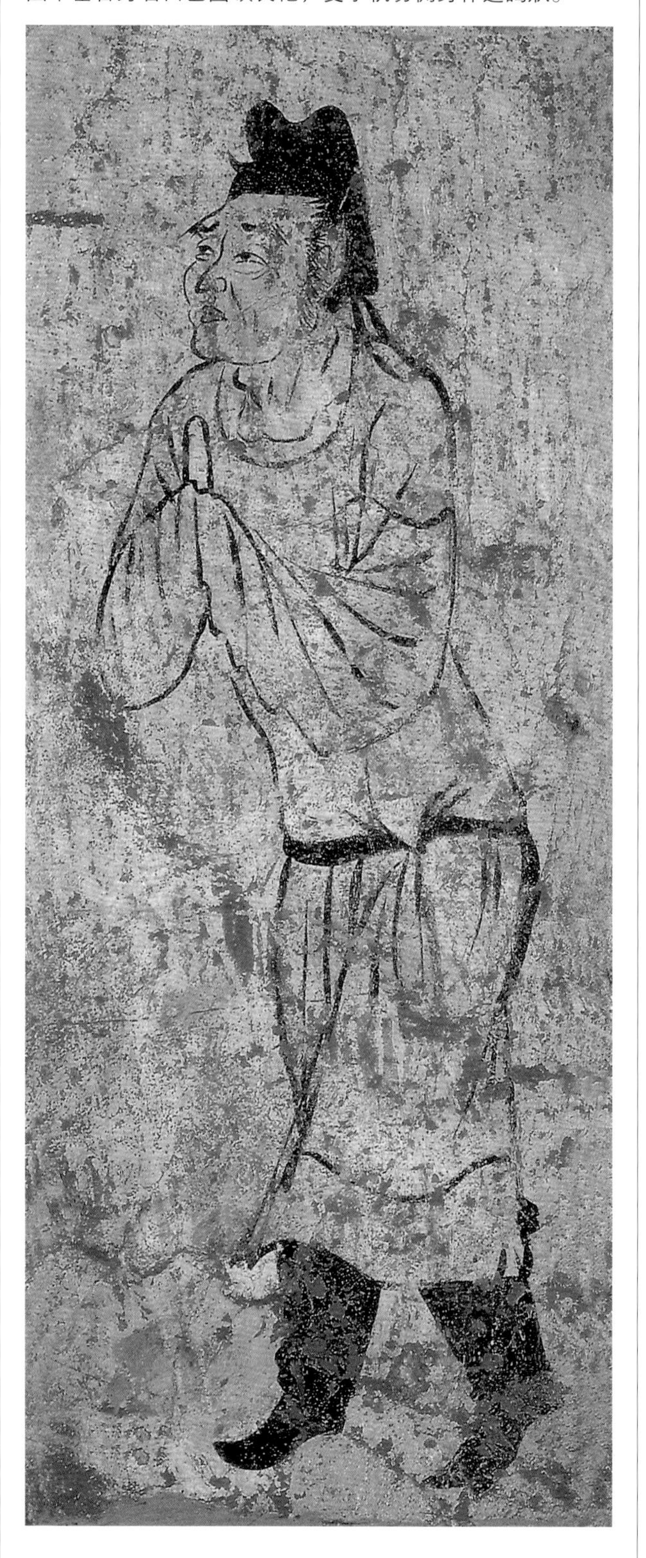

侍女圖

隋

出于寧夏固原市開城鎮小馬莊村史射勿墓墓室西壁南側。

高78厘米。

圖中侍女五人，皆梳高髻，着齊胸紅條長裙。

列戟圖

唐

出于陝西三原縣陵前鎮焦村李壽墓第四天井東壁。

此墓由墓道、過洞、天井、甬道和墓室組成，墓道至墓室均繪壁畫。墓主人爲唐淮安靖王，卒于貞觀四年（公元630年）。

圖中戟架上列戟數根，武士于一旁站立。

出行儀仗圖

唐

出于陝西三原縣陵前鎮焦村李壽墓墓道西壁。

圖中八人五馬，儀仗執紅色五旒旗。

出行儀仗圖

唐

出于陝西三原縣陵前鎮焦村李壽墓墓道西壁。

圖中八人，由文武侍從組成，其中五人執紅色五旒旗，神態各异。

給使圖

唐

出于陝西禮泉縣烟霞鎮陵光村長樂公主墓甬道南口東壁。
高144、寬50厘米。

給使，就是被閹割的男侍。圖中給使爲老年形象，頭戴黑色幞頭，穿圓領窄袖袍，束腰，佩鞶囊，着長筒靴，左手執笏而立。

衛士圖

唐

出于陝西禮泉縣烟霞鎮陵光村長樂公主墓墓道東壁。
墓主人爲唐太宗的女兒，卒于貞觀十七年（公元643年）。

圖中衛士爲儀仗隊的領隊。頭戴黑色幞頭，内穿圓領窄袖袍，束腰，外着敞襟短袖風衣，足着長筒尖頭靴；左手按劍，右手指點。

儀仗圖

唐

出于陝西禮泉縣烟霞鎮陵光村長樂公主墓墓道西壁。圖中六人均着甲袍，戴兜鍪。前面一人爲領隊，後五人各手執五旒旗。隊伍中最高者高約135厘米。

儀仗圖（上圖）

唐

出于陝西禮泉縣烟霞鎮陵光村長樂公主墓墓道西壁。

圖中八人皆着文吏服，有六人執旒旗。隊伍中最高者高約135厘米。

殿門圖

唐

出于陝西禮泉縣烟霞鎮陵光村長樂公主墓墓道第二過洞口外上方。

圖中殿門面闊三間，重檐，四阿頂，鴟吻，殿脊和瓦面爲藍灰色。

三仕女圖

唐

出于陝西禮泉縣烟霞鎮張家山村段簡璧墓第五天井東壁龕左側。

高195、寬108厘米。

墓主人爲邳國公夫人，唐太宗之甥女，卒于永徽二年（公元651年）。

圖中右側仕女頭扎團花錦紋抹額，穿圓領窄袖袍和條紋褲，着團花錦鞋；中間仕女梳高髻，外罩窄袖袒胸襦，内穿條紋齊胸長裙，着方頭履；左側仕女亦梳高髻，着白色帔帛，内穿條紋齊胸長裙，足蹬方頭履。

給使圖

唐

出于陝西禮泉縣烟霞鎮張家山村段簡璧墓第二過洞東壁北段。

高170、寬84厘米。

圖中給使頭戴黑色幞頭，穿白色圓領窄袖袍，着長筒黑靴，腰佩鞶囊。左手握拳屈胸前，右手指點。

給使圖

唐

出于陝西禮泉縣烟霞鎮張家山村段簡璧墓第二過洞西壁南段。

高170、寬84厘米。

圖中給使頭戴黑色幞頭，穿白色圓領窄袖袍，着長筒靴，腰佩鞶囊。躬腰，拱手，斜視。

給使圖

唐

出于陝西禮泉縣烟霞鎮張家山村段簡壁墓第二過洞西壁北段。

高170、寬84厘米。

圖中給使頭戴黑色幞頭，穿白色圓領窄袖袍，着長筒靴，腰佩鞶囊。右手竪大拇指，左手指點。

巾舞圖

唐

出于陝西西安市長安區郭杜鎮執失奉節墓墓室北壁。

高116、寬70厘米。

此墓墓主人爲突厥酋長之子，卒于顯慶三年（公元658年）。

巾舞爲《隋書・音樂志》所稱“四舞”（鞞舞、鐸舞、巾舞、拂舞）之一，當時在宫廷和民間都很流行。圖中舞者頭梳高髻，着窄口短袖短衫，紅長褶裙，披紅巾，巾隨雙臂張開。

牽馬圖

唐

出于陝西禮泉縣烟霞鎮東坪村新城長公主墓墓道東壁。

高190、寬120厘米。

此墓由墓道、過洞、天井、甬道和墓室組成，各部分均繪有壁畫。墓主人爲唐太宗之女，卒于龍朔三年（公元663年）。

圖中棗紅馬臀部向外，側首張望，有鞍，鞍上搭袱。馬旁立一牽馬人，頭戴黑幞頭，面目較醜，身穿圓領白袍，足蹬高靿靴。

侍女圖

唐

出于陝西禮泉縣烟霞鎮東坪村新城長公主墓墓室東壁。

高230、寬430厘米。

圖中以赭紅繪三開間房屋，每間各繪一組侍女，共十二人。

侍女圖

唐

出于陝西禮泉縣烟霞鎮東坪村新城長公主墓墓室東壁。

高230、寬135厘米。

爲“侍女圖”之局部。侍女四人，面施薄粉，手中持盤和杖等。

侍女圖

唐

出于陜西禮泉縣烟霞鎮東坪村新城長公主墓墓道東壁。

爲“侍女圖”之局部。侍女身穿條紋裙，手中捧果盒、執扇和執壺等。

侍女圖

唐

出于陜西禮泉縣烟霞鎮東坪村新城長公主墓墓室北壁。

高160、寬126厘米。

圖中侍女皆穿白襦，着束胸長裙。

侍女圖

唐

出于陝西禮泉縣烟霞鎮東坪村新城長公主墓墓室南壁。

圖中侍女三人，左側一人頭梳雙鬟望仙髻，穿土黄色襦衫，着條紋長裙；右側二人頭梳雙刀髻，身穿白襦，着橘紅或白色長裙，其中一女左臂挾持一長形盒。

侍女圖

唐

出于陝西禮泉縣烟霞鎮東坪村新城長公主墓第四過洞西壁。

高153厘米。

圖中左側侍女回首作招呼狀；右側侍女雙手于胸前持高足燭臺，臺中插燭。

侍女圖

唐

出于陝西禮泉縣烟霞鎮東坪村新城長公主墓第五過洞東壁。

高170、寬90厘米。

圖中左側侍女扭身回首，左手揚起；右側侍女着男裝，雙手捧卷軸。

侍女圖

唐

出于陝西禮泉縣烟霞鎮東坪村新城長公主墓第五過洞西壁。

高160、寬95厘米。

圖中二侍女均梳高髻，身穿白襦，着長裙。

侍女圖

唐

出于陝西禮泉縣烟霞鎮東坪村新城長公主墓第五過洞西壁。

高160、寬95厘米。

圖中左側侍女頭梳高髻，穿橘紅色長裙；右側侍女着男裝，頭戴黑幞頭，身穿圓領窄袖長袍。

戲鴨圖

唐

出于陝西禮泉縣李震墓第三過洞東壁。

高100、寬84厘米。

此墓墓主人爲梓州刺史，卒于麟德二年（公元665年）。

圖中女侍頭梳椎髻，穿紅白條長裙，右手提裙，左手戲鴨。

現藏陝西省昭陵博物館。

儀衛圖

唐

出于陝西禮泉縣韋貴妃墓墓道東壁。

此墓墓主人爲唐太宗的貴妃，卒于乾封元年（公元666年）。

圖中左側一人爲領隊，其餘人物持旗杆。圖中人物高180–196厘米。

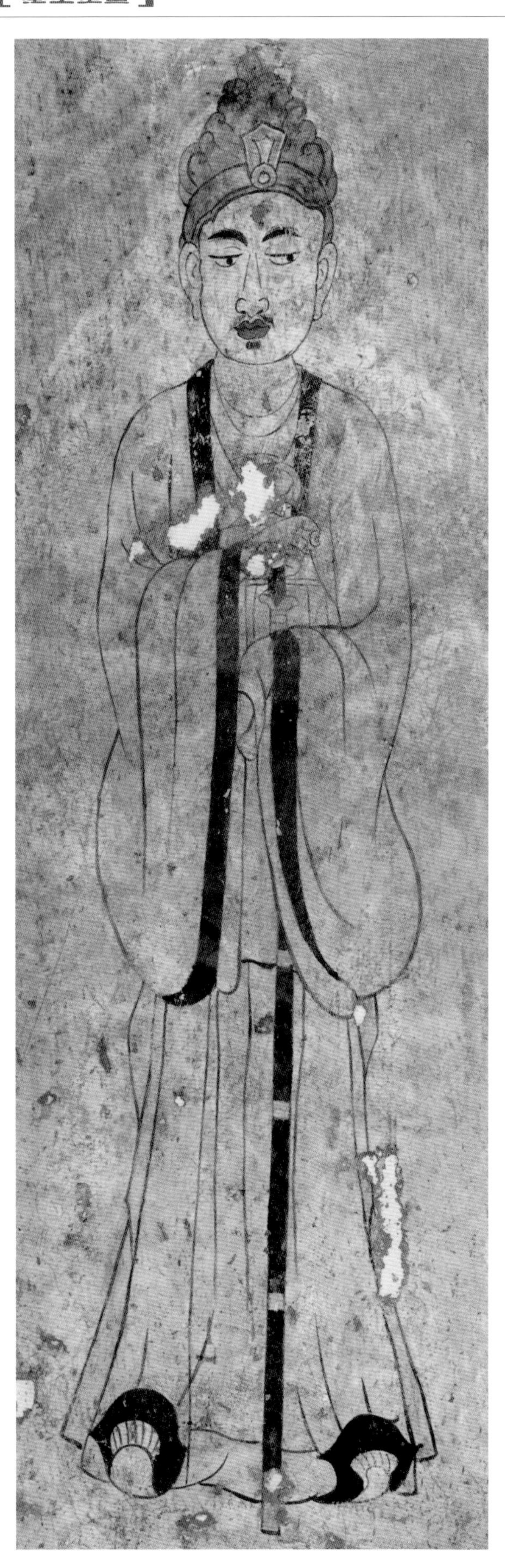

門吏圖（左圖）

唐

出于陝西禮泉縣韋貴妃墓墓道西壁。

高185、寬85厘米。

圖中門吏戴籠冠，雙手拄劍。

衛弁圖

唐

出于陝西禮泉縣韋貴妃墓第一過洞東壁。

高126、寬68厘米。

衛弁頭戴黑色幞頭，穿紅色圓領窄袖衫，着長筒黑靴。左手扶劍，右手指點。

持笏給使圖

唐

出于陝西禮泉縣韋貴妃墓第一過洞東壁。

圖中給使身穿紅衫，手持笏板。人物高106厘米。

持笏給使圖

唐

出于陝西禮泉縣韋貴妃墓第二過洞過壁。

圖中給使身穿黃衫，手持笏板。人物高104厘米。

備馬圖

唐

出于陝西禮泉縣韋貴妃墓第一天井東壁。

高146、寬154厘米。

圖中兩胡人一按馬頭一抓馬繮，胡人深目、高鼻、髬髮。

雙螺髻侍女圖

唐

出于陝西禮泉縣韋貴妃墓第四天井西壁龕南側。

高140、寬84厘米。

圖中仕女梳雙螺髻，穿橘黄色襦，外罩紅色圓領半臂，下着褐色與淡藍色條紋相間長裙。

拱手侍女圖

唐

出于陝西禮泉縣韋貴妃墓第四天井東壁龕北側。

高120、寬80厘米。

圖中侍女椎髻，穿白色圓領窄袖襦，紅、褐色條紋相間長裙，黑色圓頭履，拱手徐行。

彈琴女伎圖

唐

出于陝西禮泉縣韋貴妃墓後甬道西壁。

高110、寬100厘米。

圖中女伎頭梳雙鬟望仙髻，穿淡青色闊袖衫，外套深紫色對領半臂，繫紅色長裙，跏趺坐于氈墊上，琴斜置懷中，雙手彈奏。

舞蹈女伎圖

唐

出于陝西禮泉縣韋貴妃墓後甬道西壁。

高119、寬88厘米。

圖中女伎頭梳雙鬟望仙髻，内穿白色圓領窄袖襦，外着紅色闊袖衫，繫深紫色長裙，着紅色高頭履，跪于氈墊上，雙臂揮動，作舞蹈狀。

吹笛侍女圖

唐

出于陝西西安市羊頭鎮李爽墓墓室北壁。

高195、寬104厘米。

此墓墓主人官至銀青光禄大夫，守司刑太常伯，卒于總章元年（公元668年）。

圖中侍女頭梳雙鬟髻，雙手執横笛吹奏。

吹簫侍女圖

唐

出于陝西西安市羊頭鎮李爽墓墓室東壁。

高185、寬92厘米。

圖中侍女男裝打扮，腰懸香囊，頭戴軟角幞頭，雙手持簫吹奏。

執拂塵侍女圖

唐

出于陝西西安市羊頭鎮李爽墓。

高185、寬90厘米。

圖中侍女梳高髻，着紅衣緑裙，穿高頭履，手執拂塵。

托盤侍女圖

唐

出于陝西西安市羊頭鎮李爽墓墓室西壁。

圖中侍女雙手托子母盞盤，内盛六杯。

掮柳枝侍女圖

唐

出于陜西禮泉縣烟霞鎮東坪村燕妃墓後甬道東壁。

高80、寬90厘米。

此墓墓主人爲唐太宗的貴妃，卒于咸亨二年（公元671年）。

圖中侍女頭梳椎髻，身穿白色窄袖襦，紅色袒胸半臂，繫長裙，左臂微伸，右手持柳枝，掮于肩上。

捧羃䍦侍女圖

唐

出于陜西禮泉縣烟霞鎮東坪村燕妃墓後甬道南口外西側。

高134、寬75厘米。

圖中侍女梳椎髻，穿白色窄袖襦，套紅色袒胸半臂，繫赭、白色條紋相間長裙，着如意履，雙手捧羃䍦而行。羃䍦，古時婦人障面之巾，多爲騎馬時佩戴。

持扇侍女圖

唐

出于陝西禮泉縣烟霞鎮東坪村燕妃墓前甬道東壁。

高128、寬70厘米。

圖中侍女頭梳雙鬟望仙髻，身穿白色窄袖襦，披淡藍色帔帛，繫長裙，着尖頭履，左手指點，右手持團扇。

捧洗侍女圖

唐

出于陝西禮泉縣烟霞鎮東坪村燕妃墓前甬道西壁。

高126、寬70厘米。

圖中侍女梳椎髻，穿白色窄袖襦，披土黄色帔帛，繫長裙，着黑色如意履，雙手捧土黄色淺腹洗。

二女伎對舞圖

唐

出于陝西禮泉縣烟霞鎮東坪村燕妃墓後墓室東壁北段。

高174、寬200厘米。

圖中二女伎頭梳高雙鬟髻，戴花冠，穿紅色百戲舞衫，繫百褶長裙，相向而舞，衣帶飛揚。

奏樂圖

唐

出于陝西禮泉縣烟霞鎮東坪村燕妃墓後墓室東壁南段。

高175、寬200厘米。

圖中有四女。右一女似爲觀者，頭梳椎髻，穿白色窄袖襦，披紅色帔帛，繫長裙，呈直立静觀狀；餘三女爲樂伎，皆梳高雙鬟髻，戴花冠，穿白色窄袖襦，繫長裙，分别彈奏琵琶、吹洞簫和彈箜篌。

屏風畫

唐

出于陝西禮泉縣烟霞鎮東坪村燕妃墓後墓室。

高164、寬75厘米。

此墓後墓室繪屏風畫，共十二屏。圖中右側女子穿百戲衫，繫長裙，匆匆行走；一男子戴小方冠，穿交衽闊袖衫，雙手捧一白色小盒；空中有一女駕雲飛行。

屏風畫

唐

出于陝西禮泉縣烟霞鎮東坪村燕妃墓後墓室。

高164、寬75厘米。

圖中左側矮榻上并排跽坐二人。女梳髻，穿交領闊袖袍，男戴小方冠，穿紅色闊袖袍；榻前有一侍女，雙手捧一方盤，盤中盛二盞，呈侍奉狀。

屏風畫

唐

出于陝西禮泉縣烟霞鎮東坪村燕妃墓後墓室。

高164、寬75厘米。

圖中二女均梳髻，穿淡土紅色交衽曳地長袍，袖手，相向而立。

屏風畫

唐

出于陝西禮泉縣烟霞鎮東坪村燕妃墓後墓室。

高164、寬75厘米。

圖中二女均梳髻，穿淡土紅色交衽闊袖曳地長袍，右向而行。

舞蹈圖

唐

出于陝西高陵縣鹿苑鎮馬家灣村李晦墓側室東壁。

高225、寬112厘米。

此墓墓主人官至户部尚書、幽州刺史等，卒于永昌元年（公元689年）。

圖中舞女梳小髻，上身穿紅色窄袖長衫，外套橘黄半臂，下繫白色長裙，肩部斜搭一緑色帔帛。

捧物侍女圖

唐

出于陜西高陵縣鹿苑鎮馬家灣村李晦墓側室北壁。

高124、寬108厘米。

圖中侍女高髻，肩披紅色帔帛，上身穿橘黄窄袖衫，下着緑色長裙，足穿高頭履。

侍女圖

唐

出于陜西西安市灞橋區唐金鄉縣主墓墓室南壁。

圖中侍女頭梳螺髻，着紅色圓領窄袖袍，腰扎革帶，懷抱一白色包袱。

牽馬圖（上圖）

唐

出于寧夏固原市開城鎮羊坊村梁元珍墓第一天井東壁。

人物高58厘米，馬高69、長72厘米。

墓主人爲地方望族，卒于聖歷二年（公元699年）。

圖中牽馬人側身而立，馬嘴微張，馬尾緊束上翹。

牽馬圖

唐

出于寧夏固原市開城鎮羊坊村梁元珍墓第一天井西壁。

人物高60厘米，馬高72、長72厘米。

圖中牽馬人作牽馬行走狀，馬尾上挽。

男裝侍女圖

唐

出于寧夏固原市開城鎮羊坊村梁元珍墓墓室東壁。

高99厘米。

圖中侍女頰部施白彩，略有暈染，雙手捧包裹，側身回顧。

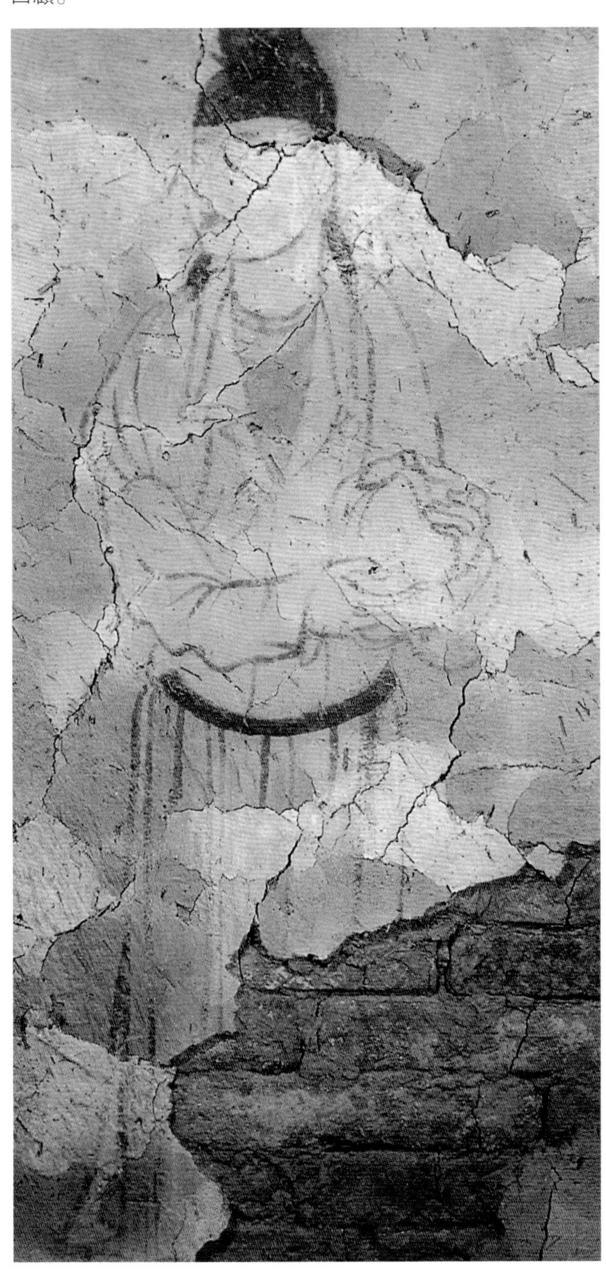

樹下老人圖

唐

出于寧夏固原市開城鎮羊坊村梁元珍墓墓室西壁。

全幅高91厘米。

畫面中央爲一枯樹，樹下一老者側身而立，頭戴方形小冠。

此圖爲局部。

白虎與樹下人物圖

唐

出于山西太原市金勝村化工焦化廠7號墓墓頂和墓室西壁。

高255、寬225厘米。

畫面上部繪白虎，尾上捲，作奔跑狀。下部樹下人物或沉思，或指斥，或慟哭。

持杖侍女圖

唐

出于山西太原市金勝村化工焦化廠7號墓墓室西壁左側。

所占屏風框高100、寬45厘米。

爲“白虎與樹下人物圖”之局部。侍女左手持“丫”形杖，右手伸出二指，目視右前下方。

門吏與朱雀圖

唐

出于山西太原市金勝村化工焦化廠7號墓墓室南壁。

高130、寬210厘米。

畫面上部繪朱雀，曲頸，單足而立。下部左側門吏爲胡人形象，右側門吏爲漢人形象。

玄武圖

唐

出于山西太原市金勝村化工焦化廠7號墓墓頂北壁。

高125、寬220厘米。

圖中龜昂首，蛇纏龜身，昂首吐信。

牽駝馬圖

唐

出于山西太原市金勝村化工焦化廠7號墓墓室北壁。

所占屏風框高100、寬50厘米。

圖中牽駝、馬者爲一胡人，手執馭鞭，鞭繩纏繞在鞭杆上。

青龍圖

唐

出于山西太原市金勝村化工焦化廠7號墓墓頂東壁。

高125、寬225厘米。

圖中青龍昂首吐信，龍身上方繪一紅日，日中有金烏。

仕女與女童圖

唐

出于山西太原市金勝村337號墓墓室東壁。

圖中左側一仕女，頭梳高髻并貫髮笄，左手持花，右手握“丫”形杖。袒胸，外罩對襟短袍，肩披紅色帔帛，下身着長裙，足穿高頭履。身後女童穿長袍，雙手捧杯盤侍立。

馬球圖

唐

出于陝西乾縣章懷太子李賢墓墓道西壁。

此墓由墓道、過洞、天井、前後甬道和前後墓室組成，墓內滿繪壁畫。墓主人爲唐高宗之子，神龍二年（公元706年）陪葬乾陵。

唐代馬球運動盛行，風靡全國，在競賽規則、場地、器材、着裝及安全保護等環節上已相當完備。此一組畫面爲宮中的一場馬球比賽。

你争我奪—馬球圖局部之一

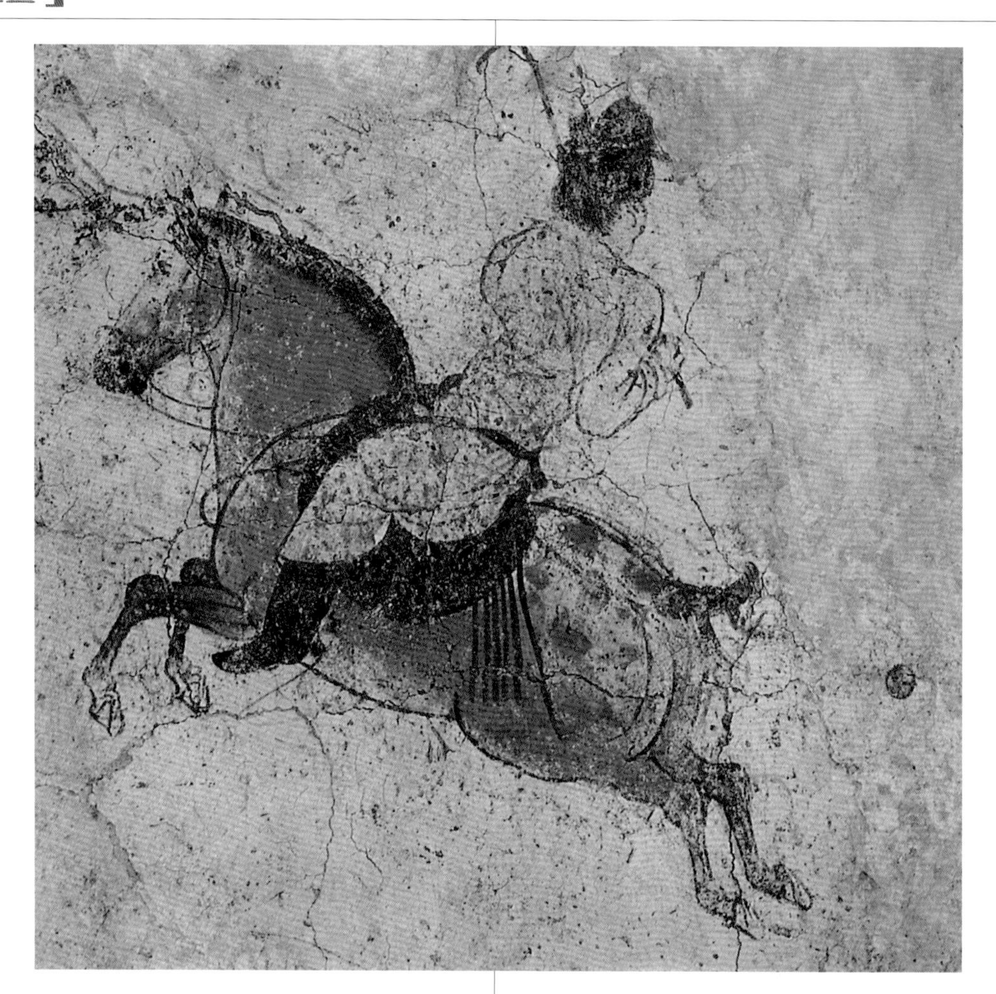

揮杆擊球—馬球圖局部之二

奮力追趕—馬球圖局部之三

馬球場邊樹木—馬球圖局部之四

狩獵出行圖

唐

出于陝西乾縣章懷太子李賢墓墓道東壁。

全幅高100-200、寬890厘米。

“狩獵出行圖”由四十多位騎馬狩獵者組成，以山間林木爲背景，描繪墓主人帶領隨從出行狩獵的場景。

狩獵出行圖局部之一

狩獵出行圖局部之二

狩獵出行圖局部之三

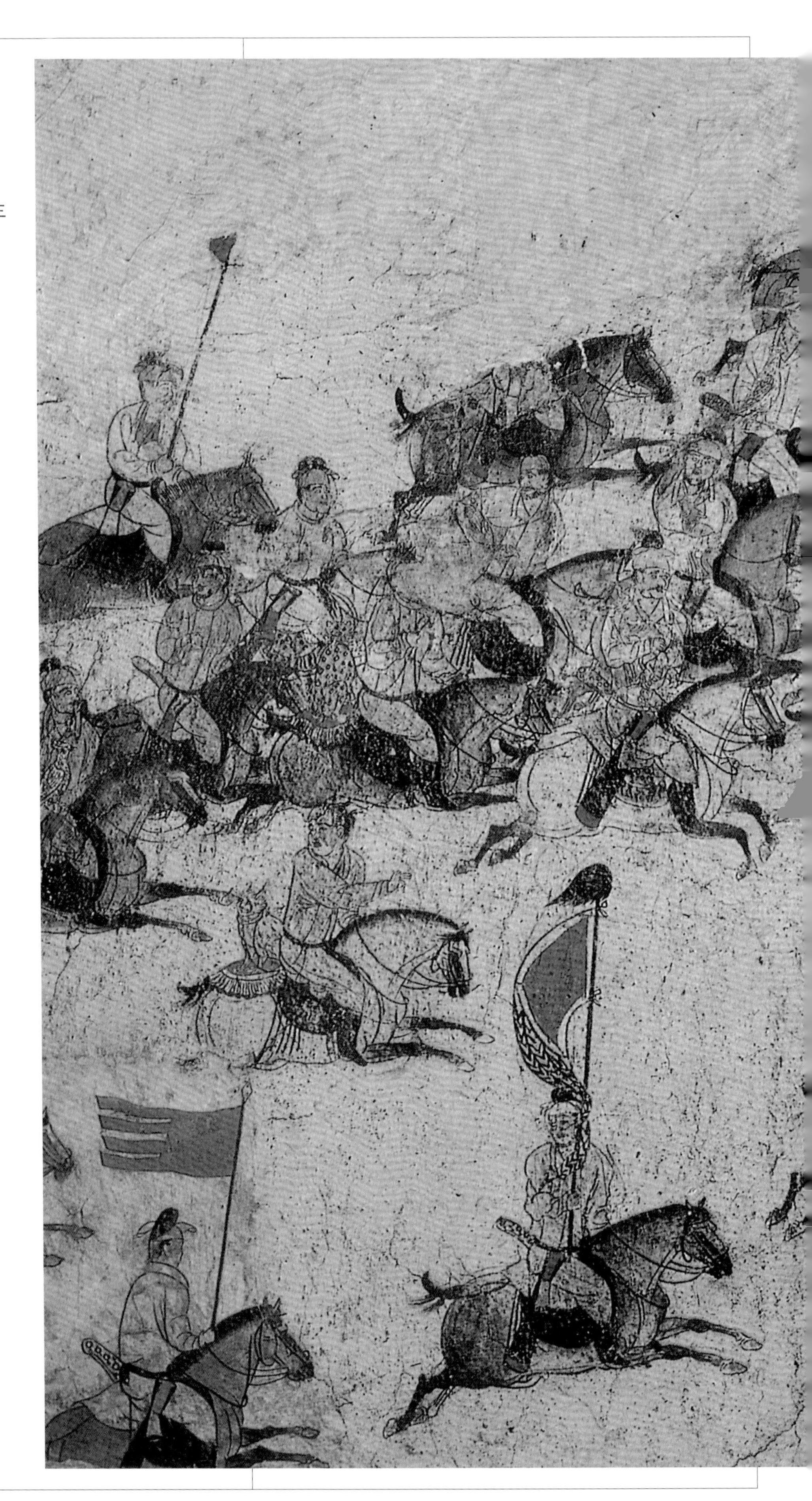

狩獵出行圖局部之四

客使禮賓圖

唐

出于陝西乾縣章懷太子李賢墓墓道東壁。

高184、寬342厘米。

畫面左側三人爲唐代鴻臚寺官員，右側三人爲來貢使節，其中頭戴翎羽冠者爲高句麗使者。

儀仗圖

唐

出于陝西乾縣章懷太子李賢墓墓道東壁。

高223、寬281厘米。

右圖中仗刀者爲領隊，左圖中九人分爲三組，佩刀躬身跟隨其後。

謁吏圖（上圖）

唐

出于陝西乾縣章懷太子李賢墓墓道第三過洞東壁。

圖中幾位宦官持笏緩行。

侍者圖

唐

出于陝西乾縣章懷太子李賢墓前甬道東壁。

圖中侍女肩披巾站立，侍男手持玩物。

侍女圖

唐

出于陝西乾縣章懷太子李賢墓前甬道東壁。

圖中左側侍女手捧籃，籃内襯墊黄巾，放物；右側侍女男裝，手捧盆景。

交談圖

唐

出于陝西乾縣章懷太子李賢墓前甬道西壁。

圖中一宦官正與一侍女交談。

侍女圖

唐

出于陝西乾縣章懷太子李賢墓前甬道西壁。

高127厘米。

圖中侍女均梳高髻，着窄袖衫。左側侍女左手舉于額前，舉目遠望；右側侍女雙手捧壺。

觀鳥捕蟬圖

唐

出于陝西乾縣章懷太子李賢墓前室西壁南側。

高168、寬175厘米。

圖中一女仰首觀鳥，一女低頭捕蟬，一女平視遠方，若有所思。

宮女及侏儒圖

唐

出于陝西乾縣章懷太子李賢墓前室南壁西側。

高169、寬106厘米。

圖中三侍女目視前方。畫面前方侏儒爲女性，手托黄披巾。

宮女及侏儒圖

唐

出于陝西乾縣章懷太子李賢墓前室南壁東側。

畫面前方侏儒爲男性，頭戴幞頭。

仕女圖

唐

出于陝西乾縣章懷太子李賢墓墓室東壁北側。

圖中繪兩隊仕女在宮苑中閑游。

園中人物圖

唐

出于陝西乾縣章懷太子李賢墓後室東壁。

圖中女主人坐于畫面左側。身旁兩侍女恭敬站立。中間一女子作講話狀，前面一男侍躬身而立，一男侍面部嚴肅，似爲護衛。

闕樓圖

唐

出于陝西乾縣懿德太子李重潤墓墓道西壁。

高280、寬280厘米。

此墓由墓道、過洞、天井、前後甬道和前後墓室組成。墓内滿繪壁畫。墓主人爲唐中宗的長子，神龍二年（公元706年）陪葬乾陵，其墓“號墓爲陵”。

圖中闕爲三出闕，一座母闕，兩座子闕，上起單檐廡殿頂觀宇，屬帝王等級。

闕樓圖

唐

出于陝西乾縣懿德太子李重潤墓墓道東壁。

圖中闕樓由屋頂、屋身、平坐和墩臺組成，墩臺高大。整個闕樓雄偉巍峨。

出行儀仗圖

唐

出于陝西乾縣懿德太子李重潤墓墓道東壁。

高351厘米。

圖中騎馬儀仗隊和步行儀仗隊象徵太子出行儀仗的左、右衛。

太子輅車圖

唐

出于陝西乾縣懿德太子李重潤墓墓道東壁。

高351厘米。

圖中幡旗招揚之車輦爲太子大朝所用之輅車。

馴豹圖

唐

出于陝西乾縣懿德太子李重潤墓第一過洞東壁。

高192厘米。

唐代獵豹爲西域貢物，經馴養後供皇室貴族狩獵之用。圖中馴豹人手牽金錢豹，正待命出發。

列戟和儀衛圖

唐

出于陝西乾縣懿德太子李重潤墓第一過洞西壁。

圖中後部設戟架，架上列戟。架前排列儀衛，均頭戴幞頭，身穿圓領缺胯衫，腰佩弓、劍。

男侍圖

唐

出于陝西乾縣懿德太子李重潤墓第二過洞西壁小龕北側。

高169、寬133厘米。

圖中二男侍給太子豢養寵物，右側一人架鶻，一條黃犬隨其後。左側一人拱手侍立。

内侍圖

唐

出于陝西乾縣懿德太子李重潤墓第三過洞西壁小龕内側。

高157、寬138厘米。

圖中内侍七人，執笏拱手而立。

持扇侍女圖

唐

出于陝西乾縣懿德太子李重潤墓第三過洞東壁。

高179、寬132厘米。

圖中二侍女持團扇，爲太子宮中掌筵的内官。

持扇侍女圖

唐

出于陝西乾縣懿德太子李重潤墓第三過洞西壁。

圖中二侍女持團扇，爲太子宮中掌筵的内官。

花草紋圖

唐

出于陝西乾縣懿德太子李重潤墓第三過洞西壁頂部。

圖中各花草紋被框綫隔開，上部爲八瓣花朵，下部爲流雲狀花草。

侍女圖

唐

出于陝西乾縣懿德太子李重潤墓前室西壁北側。

高242、寬200厘米。

圖中女侍七人，分別手持燭臺、瓶和拂塵等，徐徐前行。

侍女圖

唐

出于陝西乾縣懿德太子李重潤墓前室西壁南側。

高240、寬200厘米。

圖中女侍七人，分别手持盤、瓶和鏡等。

侍女圖

唐

出于陝西乾縣懿德太子李重潤墓前室南壁東側。

高176、寬115厘米。

圖中二侍女莊嚴而立。此圖顏色變淺，當時畫師所起素描稿的用綫仍清晰可辨。

侍女圖

唐

出于陝西乾縣永泰公主李仙蕙墓前室東壁。

高177、寬198厘米。

此墓由墓道、甬道和前後墓室組成，墓室繪壁畫。墓主人爲唐中宗之女，神龍二年（公元706年）陪葬乾陵。圖中右側第一人爲諸侍女之首，左側最後一人着男裝。侍女手中分别持包袱、團扇和盒等物。

侍女圖

唐

出于陝西乾縣永泰公主李仙蕙墓前室東壁南側。

高177、寬198厘米。

圖中左側第一人爲諸侍女之首，右側最後一人着男裝。侍女手中分别持盤、燭臺、團扇、杯、拂塵和包袱等物。

男侍圖

唐

出于陝西西安市長安區南里王村韋泂墓墓室北壁。

高62、寬41厘米。

此墓墓主人爲唐中宗韋皇后之弟，死後追封淮陽王，葬于景龍二年（公元708年）。

圖中男侍濃眉大眼，高鼻紅唇，懷抱琵琶。此圖爲局部。

侍女圖

唐

出于陝西西安市長安區南里王村韋浩墓後甬道西壁。

人物高90、寬70厘米。

此墓墓主人爲唐中宗韋皇后之弟，封揚州大都督、武陵王，葬于景龍二年（公元708年）。

圖中侍女梳螺髻，唇塗紅，身着胡服，肩披帔帛，下穿紅裙。此圖爲局部。

侍女圖

唐

出于陝西西安市長安區南里王村韋泂墓墓室西壁。

人物高90、寬82厘米。

圖中侍女雲髻巍峨，面頰紅潤，體態雍容。此圖爲局部。

高士圖

唐

出于陝西西安市長安區南里王村韋浩墓後室西壁。

高101、寬72厘米。

圖中高士拱手，立于樹旁。

觀花侍女圖

唐

出于陝西西安市長安區南里王村韋浩墓後室南壁。

高90、寬80厘米。

圖中侍女低目凝神，專心賞花。

高士圖

唐

出于陝西西安市長安區南里王村韋浩墓前室西壁。

高111、寬80厘米。

圖中高士頭戴小冠，坐于樹下。

喂鳥侍女圖

唐

出于陝西西安市長安區南里王村韋浩墓後室東壁。

高180、寬65厘米。

圖中侍女女扮男裝，頭戴幞頭，身穿翻領長袍，下着波斯褲，足穿軟便履，右手提籠，左手捻食喂肩上長尾鳥。

持蒲扇侍女圖

唐

出于陝西西安市長安區南里王村韋浩墓後室東壁。

高180、寬60厘米。

圖中侍女頭梳螺髻，着黄色窄袖衫，腰繫紅裙，披青紗巾，雙手持蒲扇。

侍女圖

唐

出于陜西咸陽市底張灣薛氏墓甬道西壁。

高113、寬54厘米。

此墓墓主人爲萬泉縣主之女，卒于景雲元年（公元710年）。

圖中侍女頭梳雙鬟髻，穿長裙，右手托一鳥。

侍女圖

唐

出于陜西咸陽市底張灣薛氏墓甬道西壁。

圖中侍女手捧包袱。

男侍圖

唐

出于陝西咸陽市底張灣薛氏墓甬道西壁。

高102、寬44厘米。

圖中男侍頭髮雙分，雙手托盤，盤中放食物。

女樂圖

唐

出于陝西咸陽市底張灣薛氏墓墓室東壁。

高195、寬93.5厘米。

圖中女樂吹排簫。

男樂圖（上圖）

唐

出于陜西咸陽市底張灣薛氏墓墓室甬道。

高44、寬63厘米。

圖中男樂高鼻虬髯，爲一胡人，跽坐吹笛。

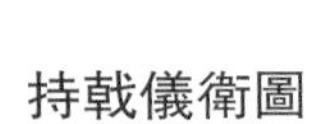

持戟儀衛圖

唐

出于陜西富平縣宫里鎮南陵村節愍太子墓墓道西壁。

高80、寬50厘米。

此墓由墓道、過洞、天井、前後甬道和墓室組成，墓内滿繪壁畫。墓主人李重俊爲唐中宗之子，景雲元年（公元710年）陪葬定陵。

圖中武士高鼻虬鬚，爲典型胡人形象。

馬球圖（上圖）

唐

出于陝西富平縣宮里鎮南陵村節愍太子墓墓道西壁。

圖中人物頭戴黑色幞頭，着圓領長袍，策馬前行。

持戟儀衛圖

唐

出于陝西富平縣宮里鎮南陵村節愍太子墓墓道東壁。

高70、寬100厘米。

圖中儀衛頭戴圓頂黑巾子，裹黄色抹額，着圓領長袍，右手持戟。

樹石圖

唐

出于陝西富平縣宮里鎮南陵村節愍太子墓墓道東壁。

高128、寬105厘米。

圖中山石高低分布，錯落有致，古樹生于其中，盤曲茂盛。

樹石圖（上圖）

唐

出于陝西富平縣宮里鎮南陵村節愍太子墓墓道東壁。

高100、寬140厘米。

圖中突立三棵蒼松，樹木周圍山石嶙峋，緑草叢生。此畫以墨綫勾勒輪廓，淡墨暈染明暗，并以緑和紅色點染青苔和草葉，屬工筆青緑風景畫。

侍女圖

唐

出于陝西富平縣宮里鎮南陵村節愍太子墓第二過洞東壁。

高120厘米。

圖中侍女前兩位着華麗衣衫，後一位着男裝。

侍女頭部圖

唐

出于陝西富平縣宮里鎮南陵村節愍太子墓第二過洞東壁。

圖中侍女頭梳高髻，簪金花。

侍女圖

唐

出于陝西富平縣宫里鎮南陵村節愍太子墓前甬道西壁。

高120厘米。

圖中侍女梳高髻，簪金花，花上金箔已脱落。

侍女頭部圖

唐

出于陝西富平縣宫里鎮南陵村節愍太子墓前甬道西壁。

高50厘米。

圖中侍女梳高髻，飾珠珞，髻上原簪金花五朵，花上金箔已脱落。

侍女頭部圖

唐

出于陜西富平縣宫里鎮南陵村節愍太子墓前甬道西壁。

圖中侍女頭梳高髻，簪金花，花上金箔已脱落，肩披緑帔帛。

文吏圖

唐

出于陜西富平縣宫里鎮南陵村節愍太子墓第三天井北壁。

高135、寬50厘米。

圖中文吏戴高頂幞頭，着大紅團領袍，雙手執笏。袍服敷色用明暗暈染手法。

翔鶴圖

唐

出于陝西富平縣宫里鎮南陵村節愍太子墓前甬道券頂。

高80厘米。

圖中鶴頸回轉，口銜玉珮。周圍環繞五彩流雲。

孔雀圖

唐

出于陝西富平縣宮里鎮南陵村節愍太子墓前甬道券頂。圖中孔雀回首張望，振翅飛翔。全身施濃綠之色，衹有頭頂上花翎和長尾的圓睛點以黃色。

文吏進謁圖

唐

出于陝西蒲城縣坡頭鎮惠莊太子李撝墓第一過洞西壁。
高172、寬130厘米。

此墓墓主人李撝爲唐睿宗之子，開元十二年（公元724年）陪葬橋陵。
圖中人物頭戴武弁大冠，附蟬飾貂，雙手執笏。

男侍圖

唐

出于陝西蒲城縣坡頭鎮惠莊太子李撝墓第二過洞口部東側。

高132、寬41厘米。

圖中男侍頭戴黑色軟角幞頭，身穿圓領窄袖長袍，足穿靴，雙手于胸前持笏。

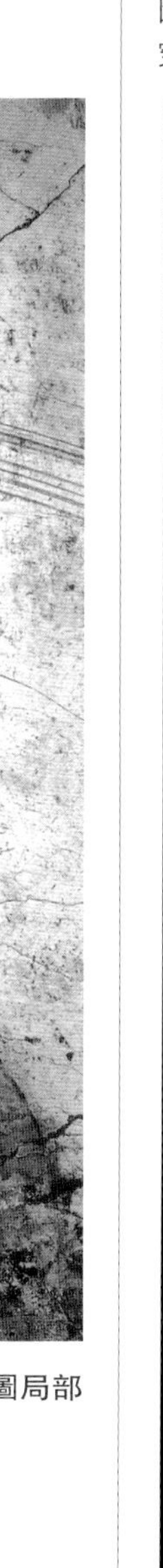

文史進謁圖局部

男侍圖（上圖）

唐

出于陝西蒲城縣坡頭鎮惠莊太子李撝墓甬道口部東壁。

高46、寬42厘米。

圖中男侍共四人，第一人爲侏儒，後面三人一人持笏兩人袖手。

抬箱男侍圖

唐

出于陝西西安市蘇思勖墓甬道西壁。

高77、寬106厘米。

此墓由墓道、甬道和墓室組成，甬道和墓室繪壁畫。墓主人爲驃騎大將軍、虢國公，卒于天寶四年（公元745年）。

圖中二男侍抬箱而行。

舞樂圖

唐

出于陜西西安市蘇思勖墓墓室東壁。

高147、寬137厘米。

圖中前排三人跽坐，分持琵琶、笙和鈸；後排三人站立，一人吹横笛，一人擊拍板，一人作指揮狀。

舞樂圖

唐

出于陝西西安市蘇思勖墓墓室東壁。

高142、寬141厘米。

圖中前排三人分持箜篌、七弦琴和豎笛；後排二人一人吹排簫，一人作指揮狀。

舞樂圖

唐

出于陝西西安市蘇思勖墓墓室東壁。

高148、寬137厘米。

圖中舞者位于兩組樂隊之間，深目高鼻，跳胡騰舞。

男侍圖

唐

出于陝西西安市蘇思勖墓墓室西壁。

高100、寬71厘米。

圖中侍者頭戴方形小冠，着灰領寬袖紅袍，腰間繫帶，下穿白裙，足蹬黑履。

男侍圖

唐

出于陝西西安市蘇思勖墓墓室西壁。

高112、寬57厘米。

圖中男侍頭戴黑色幞頭，着圓領寬袍，腰繫黑帶。

侍女圖

唐

出于陝西西安市蘇思勖墓墓室北壁。

高149、寬99厘米。

圖中侍女頭挽拋家髻，兩頰微施紅暈，體態豐盈。

玄武圖

唐

出于陝西西安市蘇思勖墓墓室北壁。

高70、寬68厘米。

圖中蛇身高懸，蛇首垂下與龜首相視。

牽牛圖（上圖）

唐

出于陝西富平縣朱家道村唐墓墓室北壁西側。

寬180厘米。

圖中牽牛人頸戴項圈，并有手釧和脚釧，下着短褌，膚色黑，相貌裝束似爲昆侖奴。

奏樂圖

唐

出于陝西富平縣朱家道村唐墓墓室東壁北側。

寬180厘米。

圖中前排兩人，一人抱竪箜篌于懷，兩手彈撥，另一人執四弦琵琶，用撥板撥彈。第二排四人從内到外依次執笙、簫、横笛和拍板。最後一排一人執銅鈸。

卧獅圖

唐

出于陝西富平縣朱家道村唐墓墓室南壁最西端。

圖中卧獅回首，雙目圓睜。

山水圖屏風

唐

出于陝西富平縣朱家道村唐墓墓室西壁。

該墓共出山水圖屏風六屏。畫中山勢險峻，霧氣蒸騰。

六屏仕女圖

唐

出于陝西西安市長安區南里王村唐墓墓室西壁。

高165、寬370厘米。

六屏内容均爲一貴婦携侍者于樹下游玩的場景。六屏獨立構圖。

宴飲圖（上圖）

唐

出于陝西西安市長安區南里王村唐墓墓室東壁。

高180、寬235厘米。

畫面中間長方形大案上杯盤羅列，周圍九人分列三面坐于榻上，左右兩側各有五人旁觀，與坐者互有呼應。

牡丹蘆雁圖

唐

出于北京海淀區八里莊王公淑夫婦合葬墓墓室北壁。

高156、寬290厘米。

墓主人爲幽州節度判官兼殿中侍御史、銀青光禄大夫、上柱國王公淑及其夫人。夫人葬于唐開成三年（公元838年），王公淑卒于唐大中二年（公元848年），大中六年（公元852年）祔葬于夫人墓室中。

圖中整株牡丹强壯茂盛，枝頭盛開九朵牡丹花。花叢中有蘆雁與飛蝶。

牡丹蘆雁圖局部之一

牡丹蘆雁圖局部之二

文史圖

唐

出于陝西西安市陝棉十廠唐墓甬道西壁。

高80厘米。

圖中文吏頭戴黑色冠，絡腮鬍鬚，身着左衽高領寬袖長袍。

樂舞圖

唐

出于陝西西安市陝棉十廠唐墓甬道東壁。

高164厘米。

畫面中部一人爲舞者，頭戴黑幞頭，身着長袖衫，足蹬高鞦黑靴。左側樂隊三人，一上身殘損，餘二人一彈竪箜篌，一站立吟唱。右側樂隊四人，前二人彈琵琶和吹觱篥，後排二人一吟唱一擊鈸。

侍女與文吏圖

唐

出于陝西西安市陝棉十廠唐墓甬道東壁。

圖中侍女頭梳拋家髻，身穿低領廣袖襦衫，束胸長裙上部圍裳。文吏頭戴鶡冠，身穿右衽高領廣袖長袍，中穿歧頭履，手持笏板。

執戟武士圖

唐

出于陝西乾縣陽峪鎮南陵村靖陵甬道西壁。

高160、寬85厘米。

此墓爲唐僖宗的陵墓，葬于文德元年（公元888年）。

此墓由墓道、甬道和一個墓室組成，各部分均繪壁畫。

圖中武士頭戴黑色幞頭，外扎巾。

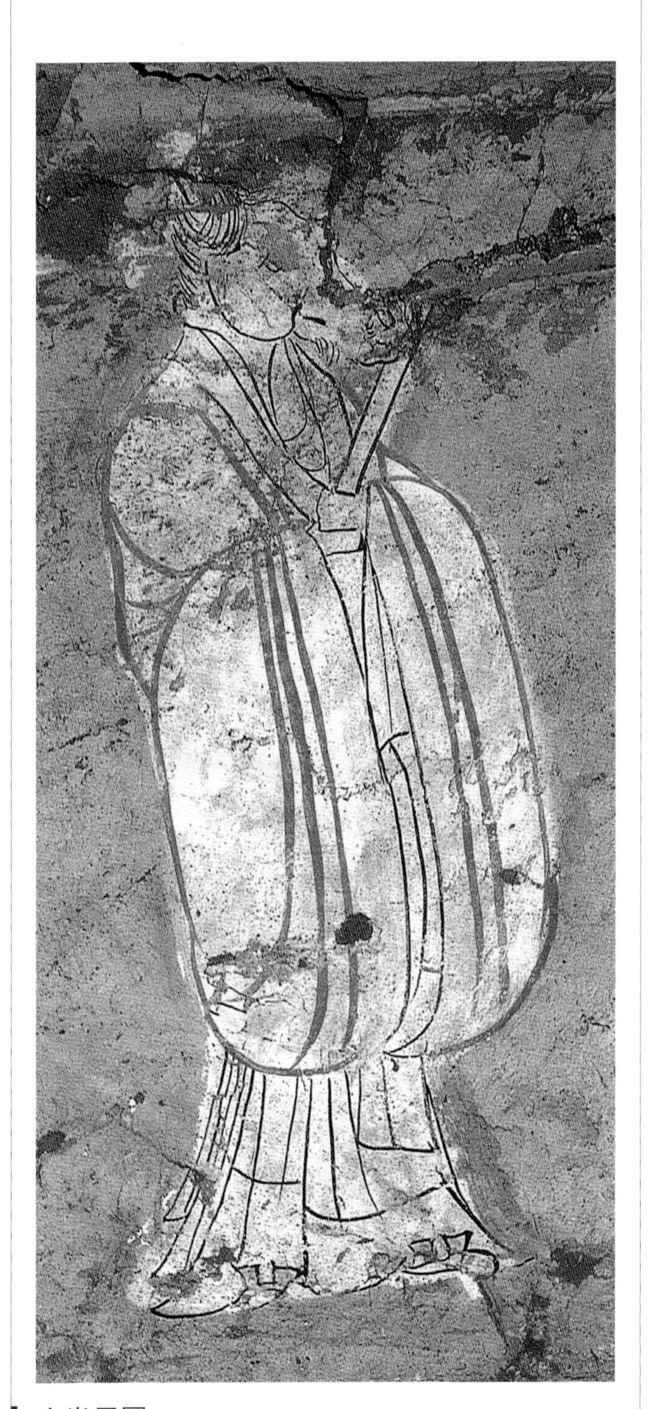

生肖馬圖

唐

出于陝西乾縣陽峪鎮南陵村靖陵甬道東壁南壁龕。

高50厘米。

圖中形象爲馬首人身，手持笏。

六屏鑒誡圖

唐

出于新疆吐魯番市阿斯塔那216號墓墓室後壁。

高145、寬400厘米。

圖中左起第一、二、三人分别題“土人”、“金人”和“石人”。“土人”應是“玉人”的筆誤，意勸人節制物欲，涵養性情；“金人”勸誡人們要謙虚謹慎；“石人”勸誡人們有所作爲。

六屏花鳥圖

唐

出于新疆吐魯番市阿斯塔那217號墓墓室後壁。

約高150、寬375厘米。

六屏均爲鳥禽栖于花草間，内容有百合、蘭花、鴛鴦、錦鶏和野鴨等。

侍衛與樂伎圖（上圖）

渤海國

出于吉林和龍市渤海國貞孝公主墓主室西壁。

高160、寬250厘米；人物高140－150厘米不等。

圖中左起第一人執撾木，佩弓箭，後三人捧有囊的樂器。四人皆櫻口柳眉，粉面豐盈，烏靴細小，疑爲男裝女子。這是首次發現的渤海國壁畫。

團花圖案

渤海國

出于黑龍江寧安市三陵鄉渤海國王陵區三陵2號墓。

圖案上部已殘，中央爲一朵團花，周圍六朵紅色花朵環繞。

王處直墓前室壁畫（上圖）

五代十國・後梁

出于河北曲陽縣西燕川村王處直墓前室西壁。

此墓由墓道、墓門、甬道、前室、耳室和後室組成，除後室頂部外均繪壁畫。墓主人爲唐末、五代早期的義武軍節度使，卒于唐天祐二十年（即後梁龍德三年，公元923年）。

壁面下部繪五幅人物及花卉，每幅左右均繪邊框；上部繪雲鶴圖，每幅之間隔以立于龕内的生肖像。

雲鶴圖

五代十國・後梁

出于河北曲陽縣西燕川村王處直墓前室東壁上欄北側。

長118、寬64厘米。

圖中兩隻仙鶴飛翔于四朵白雲間，前方仙鶴引頸回首。

月季圖

五代十國・後梁

出于河北曲陽縣西燕川村王處直墓前室西壁下欄。

高85厘米。

圖中月季枝頭盛開十三朵花朵，蜜蜂、蝴蝶飛臨花叢，花下一隻鴿子正回首覓食。

男侍圖

五代十國・後梁

出于河北曲陽縣西燕川村王處直墓前室南壁下欄東側。

高126厘米。

前者高111厘米，着褐色圓領長袍；後者高113厘米，着紅色圓領長袍。兩人皆面凈無鬚，似爲宦者。

山水圖

五代十國・後梁

出于河北曲陽縣西燕川村王處直墓前室北壁中央。

高180、寬222厘米。

畫先以墨綫勾出山石、樹木輪廓，然後以粗細不同的綫條皴出起伏和明暗。

侍女與童女圖

五代十國・後梁

出于河北曲陽縣西燕川村王處直墓西耳室北壁。

高133、寬100厘米。

圖中侍女手捧盝頂雙層盒，旁側童女頭梳雙鬟髻，簪三朵牡丹。畫面人物前者高120、後者高115厘米。

持拂塵侍女圖

五代十國・後梁
出于河北曲陽縣西燕川村王處直墓東耳室南壁。
高145厘米。
圖中侍女頭梳雙鬟髻，手持拂塵。

捧瓶侍女圖

五代十國・後梁
出于河北曲陽縣西燕川村王處直墓西耳室南壁。
高135厘米。
圖中侍女頭梳叢髻，頭上插花，外着紅色窄袖短襦，內穿抹胸和白色長裙，肩披帔巾，足穿高頭履，雙手捧細頸瓶。

侍女與童子圖

五代十國·後梁

出于河北曲陽縣西燕川村王處直墓東耳室北壁。

高140、寬102厘米。

圖中侍女手捧六曲葵口碗，旁側童子叉手而立，略帶拘謹。畫面人物前者高133、後者高99厘米。

起居堂圖（上圖）

五代十國·後梁

出于河北曲陽縣西燕川村王處直墓東耳室東壁。

高147、寬215厘米。

圖中後部繪山水屏風。前繪長案一條，長209厘米。案上左置官帽架、長盒、圓盒、瓷碗和瓷盒，右置三足鏡架、瓷盒、長箱、短帚和葵口瓶。應爲墓主人起居之所。

起居堂圖

五代十國·後梁

出于河北曲陽縣西燕川村王處直墓西耳室西壁。

高136、寬200厘米。

圖中後部繪花鳥屏風畫，前繪一長案。案上左置四曲盒、鏡架、長箱、小盒和瓷枕，右置菱花如意形盒、亞腰形杯、細頸瓶、奩盒、葵口長頸瓶、盝頂長盒及素面圓盒和飾花小盒。應爲墓主人起居場所。

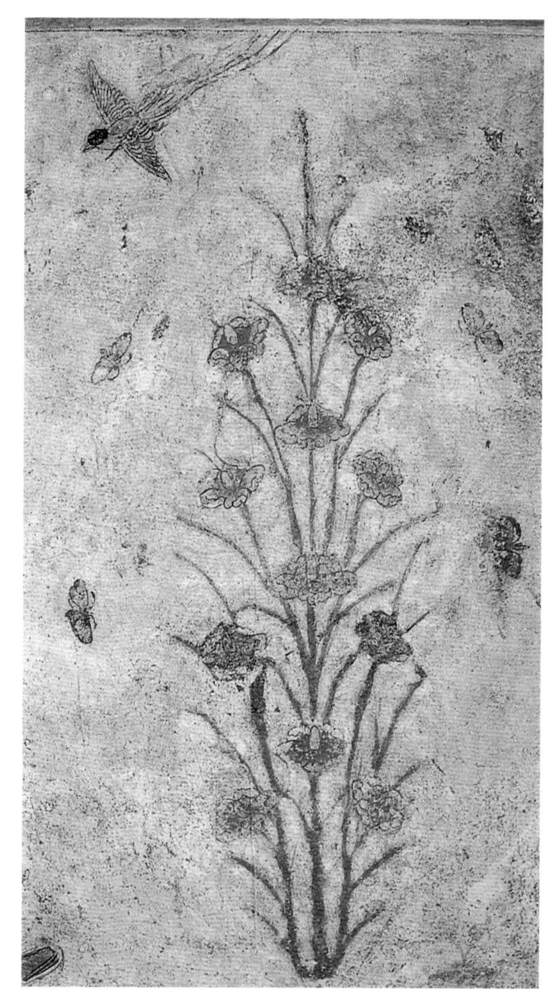

薔薇圖（右圖）

五代十國・後梁
出于河北曲陽縣西燕川村王處直墓後室北壁西側。
高93厘米。
圖中薔薇花枝上盛開十二朵花朵，飛鳥掠過枝頭，蜂蝶周旋其旁。右下角隱約可見一株紅蕾待放的小草。

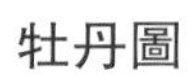

牡丹圖

五代十國・後梁
出于河北曲陽縣西燕川村王處直墓後室北壁。
牡丹高110厘米。
圖中牡丹枝頭上有十五朵盛開的花朵，飛鳥蟲蝶周旋其間，旁有怪石相襯，禽鳥閑步其間。

樂隊指揮圖

五代十國・後周

出于陝西彬縣底店鄉前家嘴村馮暉墓甬道西壁。

此墓由墓道、墓門、甬道和墓室組成，墓内各部分均繪壁畫。墓主人爲後周中書令、陳留王，卒于廣順二年（公元952年）。

圖中人物頭戴幞頭，幞頭兩脚折起上舉，前後各插一紅花，雙手于胸前執一杖，爲女扮男裝形象。此人爲樂隊指揮，樂隊由十四位女性組成。

樂隊指揮圖

五代十國・後周

出于陝西彬縣底店鄉前家嘴村馮暉墓甬道東壁。

圖中人物頭戴硬脚幞頭，身着紫紅圓領袍服，雙手于胸前執一杖。此人爲樂隊指揮，樂隊由十四位男性組成。

持巾侍女圖

五代十國・後周

出于陝西彬縣底店鄉前家嘴村馮暉墓墓室東壁。

圖中侍女頭梳雙髻，髻上扎錦帶，身穿紅底黄團花對襟寬袖袍，内着紅色抹胸和長裙，長裙上套一件白底綉白色團花的圓邊圍裙，足穿尖履。左前臂搭一條綉花葉紋的白色長巾。

持巾侍女圖局部

抱蒲團侍女圖

五代十國·後周

出于陝西彬縣底店鄉前家嘴村馮暉墓墓室西壁。

圖中侍女雙手于胸前抱一蒲團。

捧盂侍女圖

五代十國·後周

出于陝西彬縣底店鄉前家嘴村馮暉墓墓室東壁。

圖中侍女雙手持唾盂侍立。

雙鴨銜帶圖（上圖）

五代十國・後周

出于陝西彬縣底店鄉前家嘴村馮暉墓墓室頂部下緣。

圖中雙鴨相對，口銜花帶。

纏枝花圖

五代十國・後周

出于陝西彬縣底店鄉前家嘴村馮暉墓側室券頂。

圖中淡黃色底上，繪藍葉纏枝忍冬紋和藍葉紅黃芯蓮花。

東側室東壁壁畫（上圖）

五代十國·後周

出于陝西彬縣底店鄉前家嘴村馮暉墓東側室東壁。

此壁壁畫上部中央爲雙鳳圖案，周邊上下飾以花卉爲主的圖案，左右對稱。

錦球圖案

五代十國·後周

出于陝西彬縣底店鄉前家嘴村馮暉墓東側室東壁。

圖中錦球紅底，以白色“十”字對稱分割爲四塊，每塊中飾白色花卉圖案，錦球上下有流蘇。

錦球圖案

五代十國·後周

出于陝西彬縣底店鄉前家嘴村馮暉墓東側室東壁。

圖中圓圈表示一錦球，圖案爲紅色底上繪雙鳳在雲中上下飛舞。

花卉圖案

五代十國・後周

出于陝西彬縣底店鄉前家嘴村馮暉墓東側室。

圖中圖案爲連續的纏枝花草。

牡丹圖

五代十國・吴越

出于浙江臨安市康陵中室左壁。

牡丹高173厘米。

圖中樹上繪花朵二十六朵，花均紅色，花蕊用金箔點綴，以緑葉襯托。枝幹部分貼飾圓形金箔，近根部飾紅緑祥雲。牡丹上部左右對飾紅緑雲紋，下部對飾紅色捲草紋，與牡丹組成一完整畫面。

男吏圖

遼

出于内蒙古阿魯科爾沁旗寶山1號遼墓前室南壁甬道入口左側。

人物高約160厘米。

此墓由墓道、門庭、墓門、甬道、墓室和石房組成，壁畫繪于墓室和石房内外。墓内有遼天贊二年（公元923年）題記，墓主人爲十四歲少年，係“大少君”次子，地位顯赫。

圖中男吏濃眉，勾鼻，叉手而立。

女僕圖

遼

出于内蒙古阿魯科爾沁旗寶山1號遼墓前室南壁甬道入口右側。

人物高約160厘米。

圖中女僕高大壯實，雙手交于腹前，拇指相對。

牽馬圖

遼

出于内蒙古阿魯科爾沁旗寶山1號遼墓東側室東壁。
圖中一人三馬，御者立于馬前，左手握韁，右手持鞭。
馬配鞍具，分别爲棗紅色、白色和黄色馬。

侍僕圖

遼

出于内蒙古阿魯科爾沁旗寶山1號遼墓西側室西壁。

圖中兩侍者雙手交于腹前，恭立。

侍僕圖

遼

出于内蒙古阿魯科爾沁旗寶山1號遼墓西側室西壁。

圖中兩侍者一捧碗，一持托盤。

男侍圖

遼

出于内蒙古阿魯科爾沁旗寶山1號遼墓石房内南壁。

人物高約160厘米。

男侍戴黑色幞頭，着圓領緊袖長袍，腰繫白帶，穿淺色便靴，叉手而立。

女僕圖

遼

出于内蒙古阿魯科爾沁旗寶山1號遼墓石房内南壁。

人物高約160厘米。

圖中女僕披髮垂肩，鳳目朱唇，面露笑容。

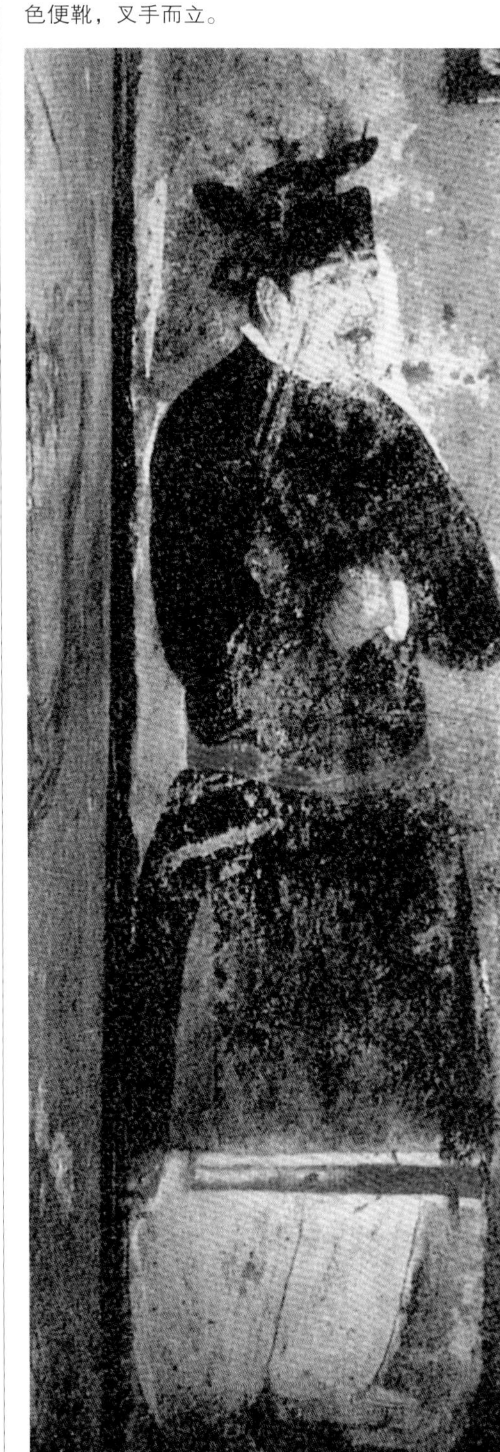

廳堂圖

遼

出于内蒙古阿魯科爾沁旗寶山1號遼墓石房内北壁。圖中靠背座椅後繪有一案，僅露局部。紅面几案上擱盤、筷、碗及高足盞。器具貼金，使畫面顯得富麗堂皇。

降真圖

遼

出于内蒙古阿魯科爾沁旗寶山1號遼墓石房内東壁。
原圖繪五人，描繪的是漢武帝見西王母的傳説。本圖節選的是右側的四仙女，爲首者榜題“西王母”。

寄錦圖

遼

出于内蒙古阿魯科爾沁旗寶山2號遼墓石房内南壁。

此墓由墓道、門庭、墓門、甬道、墓室和石房組成，壁畫繪于墓室和石房内外。

畫面左上角墨書詩詞一首：“□□征遼歲月深，蘇娘憔(悴)□難任；丁寧織寄迴(文)(錦)，表妾平生繾綣心。”中央位置的貴婦在諸女簇擁下，顯得雍容華貴。

誦經圖

遼

出于内蒙古阿魯科爾沁旗寶山2號遼墓石房内北壁。

畫面局部漫漶，右上角題詩一首：“雪衣丹觜隴山禽，每受宫闈指教深。不向人前出凡語，聲聲皆(是)念經音。”此圖所繪是楊貴妃教白鸚鵡“雪衣娘”誦讀《般若波羅蜜多心經》的場景。

寄錦圖之局部

流雲飛鶴圖

遼

出于内蒙古阿魯科爾沁旗耶律羽之墓甬道頂部。

此墓由墓道、甬道、前室、二耳室和主室組成。墓主人爲東丹國左相，卒于會同四年（公元941年）。

畫面繪四隻丹頂鶴首尾相顧，在十朵流雲間振翅高飛。

石門彩繪

遼

出于內蒙古阿魯科爾沁旗耶律羽之墓墓室。

石門內外均以紅色爲地，門額、邊框及門楣遍繪絢麗的牡丹、團花、纏枝花、忍冬捲草和飛鳳等。兩扇石門在紅地之上，在中心和邊緣上下兩角繪飛舞團鳳，團鳳外圍爲纏枝花，餘空以簇四球格眼紋飾填補，屬典型的絲織物團窠圖案繪法。

武士圖

遼

出于内蒙古阿魯科爾沁旗耶律羽之墓墓門。

圖中武士着鎧甲，戴盔，手持長劍，足踏怪獸。

雲鶴生肖圖

遼

出于北京八寶山遼韓佚墓穹隆頂東北部。

高約155、寬約252厘米。

此墓墓主人卒于統和十五年（公元997年）。

圖中紅色弧形框内繪翔鶴和流雲，其下沿四周繪頭頂生肖的十二人像。此圖從左至右，生肖分别爲猪、鼠、牛、虎和兔。

牽馬圖（上圖）

遼

出于內蒙古奈曼旗青龍山鎮遼陳國公主與駙馬合葬墓墓道東壁。

此墓由墓道、天井、前室、二耳室和後室組成，壁畫繪于墓道和前室。陳國公主爲遼景宗次子之女，卒于開泰七年（公元1018年）。

圖中牽馬者左手執鞭，右手握馬繮。牽馬者身高約137厘米。

牽馬圖

遼

出于內蒙古奈曼旗青龍山鎮遼陳國公主與駙馬合葬墓墓道西壁。

圖中牽馬者左手執鞭，右手握馬繮。身高約137厘米。

男女侍僕圖（上圖）

遼

出于内蒙古奈曼旗青龍山鎮遼陳國公主與駙馬合葬墓前室東壁。

圖中女僕身高142厘米，着漢裝，雙手拱持長浣巾。男僕身高150厘米，着契丹裝，雙手捧唾盂。

侍衛圖

遼

出于内蒙古奈曼旗青龍山鎮遼陳國公主與駙馬合葬墓前室西壁。

圖中兩侍衛身高156厘米，契丹裝束，各肩扛一骨朵。

春季山水圖

遼

出于内蒙古巴林右旗永慶陵中室東南壁。

高260、寬177厘米。

此墓爲遼聖宗的陵墓，遼聖宗卒于太平十一年（公元1031年）。

圖中繪水鳥在河中嬉戲和覓食，岸上花紅草綠，一派春意盎然的景象。

夏季山水圖

遼

出于内蒙古巴林右旗永慶陵中室西南壁。

高240、寬185厘米。

圖中繪幾隻鹿在山坡上活動，表現夏季山中的景色。

秋季山水圖

遼

出于内蒙古巴林右旗永慶陵中室西北壁。

高227、寬190厘米。

圖中繪山間樹林層層，一隻大角牡鹿在山坡引頸長叫，其身後一隻牝鹿回首張望，秋意濃濃。

冬季山水圖

遼

出于内蒙古巴林右旗永慶陵中室東北壁。

高209、寬180厘米。

圖中繪樹木落葉河流封凍時節，一群鹿在山坡上覓食的場景。

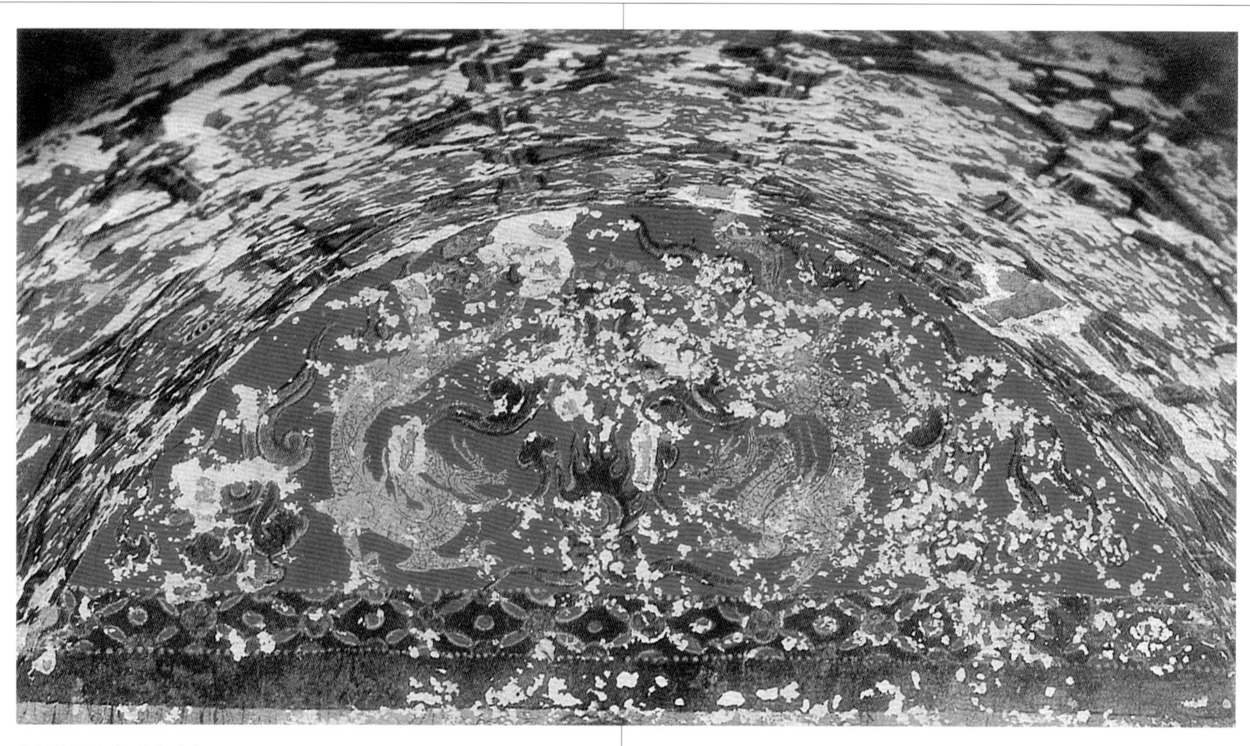

雙龍圖（上圖）

遼

出于内蒙古巴林右旗永慶陵前室南壁上部。

圖中雙龍龍首向内，呈二龍戲珠狀。

契丹人物圖

遼

出于内蒙古巴林右旗永慶陵前室西甬道南壁。

高165厘米。

圖中人物頭頂髡髮，鬢前頭髮長垂到肩，身着緑色圓領衫和紅色中衣。

門神圖

遼

出于遼寧阜新蒙古族自治縣關山蕭和夫婦墓天井北側。

高480厘米。

此墓由墓道、天井、墓門、甬道、左右耳室和主室組成，壁畫繪于墓道、天井和墓門過洞。墓主人爲遼聖宗蕭皇后之父母，合葬于重熙十四年（公元1045年）。

圖中門神武將裝束，頭戴兜鍪，身着戰袍、鎧甲，右手持劍，左手持寶珠。

門神圖

遼

出于遼寧阜新蒙古族自治縣關山蕭和夫婦墓天井南側。

高480厘米。

圖中門神頭戴高冠，腰繫雲帶，腰下垂絲絛。

出行圖（上圖）

遼

出于遼寧阜新蒙古族自治縣關山蕭和夫婦墓墓道北壁。

圖中兩人騎馬，均着白色圓領長袍，繫白腰帶。

駝車出行圖

遼

出于遼寧阜新蒙古族自治縣關山蕭和夫婦墓墓道北壁。

圖中駱駝駕高輪氈車，車厢有帷幕。一人持鞭牽駝，車轅兩旁各立一人，三人均爲契丹人形象。

漢人隨從圖

遼

出于遼寧阜新蒙古族自治縣關山蕭和夫婦墓墓道南壁。

圖中四人，皆戴黑色硬脚幞頭，穿圓領寬袖長袍，着麻鞋。左起分别爲扛劍、荷傘、背胡床和拎長鏈罐。

漢人隨從圖

遼

出于遼寧阜新蒙古族自治縣關山蕭和夫婦墓墓道南壁。

圖中四人一馬，人物左起分别爲扛傘、牽馬、回首顧盼和持長杆。

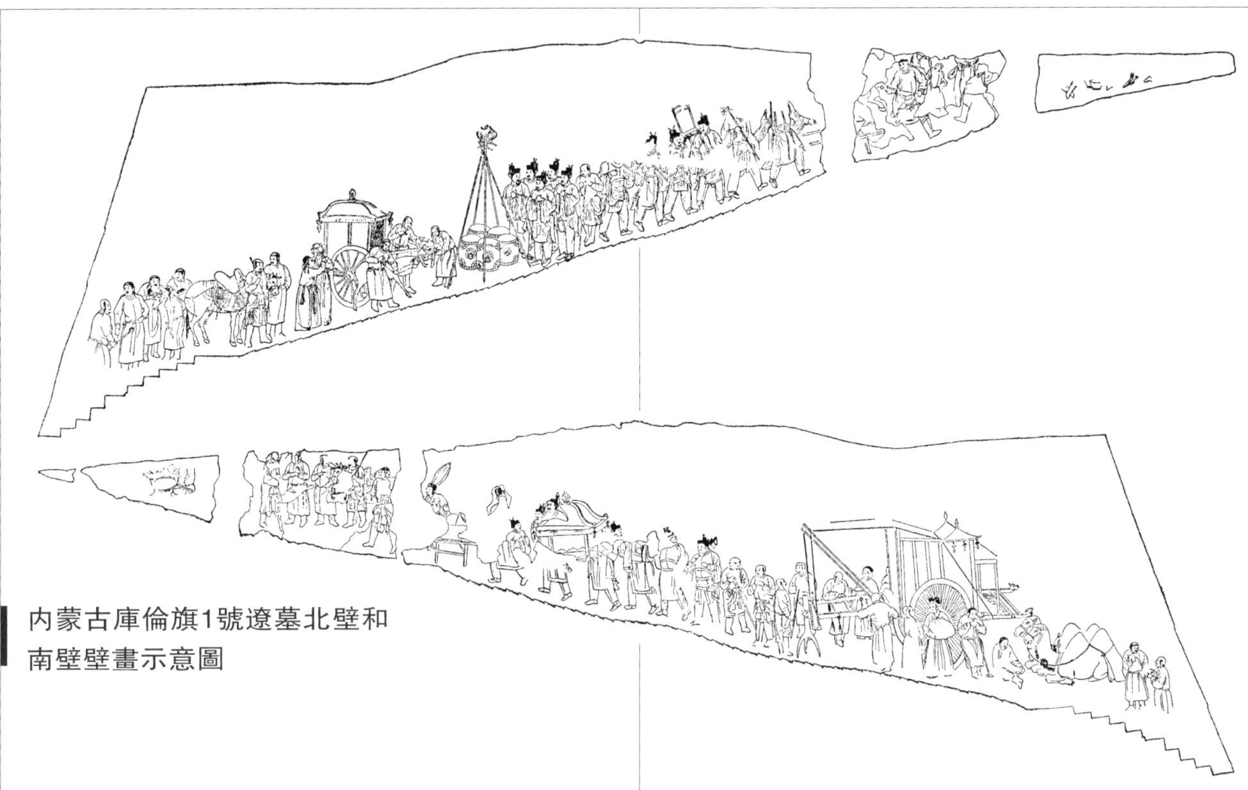

內蒙古庫倫旗1號遼墓北壁和南壁壁畫示意圖

轎夫與肩輿圖

遼

出于內蒙古庫倫旗1號墓墓道南壁裏層。

此墓墓主人葬于大康六年（公元1080年）。

該墓墓道壁畫繪二次，因外層脱落，露出裏層，人物表情較顯呆滯，但顏色較鮮艷。此圖繪二轎夫正在等待主人出行。

漢人值事圖（上圖）

遼

出于内蒙古庫倫旗1號墓墓道北壁中段。

圖中繪漢人六名，正當值事，各負胡床、長竿、琴囊和骨朵等物。

儀仗圖

遼

出于内蒙古庫倫旗1號墓墓室北壁。

圖中車騎之前五面大鼓綁在一起，外側由長竿做成支架。鼓架旁五個漢人，分兩排站立。

竹林仙鶴圖

遼

出于内蒙古庫倫旗1號墓天井北壁最上層。

高390、寬250厘米。

圖中繪竹林中兩隻仙鶴，一隻引頸向前，一隻曲頸回首。

出行備馬圖

遼

出于内蒙古庫倫旗1號墓墓道北壁後端。

人物高150-160厘米。

圖中繪主人坐騎和牽馬者，人物皆爲契丹人裝束。

侍女圖

遼

出于內蒙古庫倫旗2號墓墓道北壁與天井銜接處。

人物身高160厘米。

圖中一契丹裝女子，手捧蓋罐，身後爲準備出行的馬匹。

牽馬圖

遼

出于內蒙古庫倫旗2號墓墓道北壁後段。

高160、寬180厘米。

圖中牽馬者左手握韁，右手執鞭，肅立候行。

車與駝圖

遼

出于内蒙古庫倫旗2號墓墓道南壁。
圖中兩隻駱駝面有倦容，跪卧于駝車旁。

樂舞圖

遼

出于内蒙古庫倫旗6號墓墓門門額。

高90、寬160厘米。

全幅共五人，此圖爲局部。一女子展袖舞蹈，另二女一吹觱篥，一彈琵琶伴奏。

出行占卜圖

遼

出于内蒙古庫倫旗6號墓墓道東壁右側中部。

此圖爲墓道“出行圖”左起第二人，爲占卜形象。眉宇間流露着忐忑不安之神情。

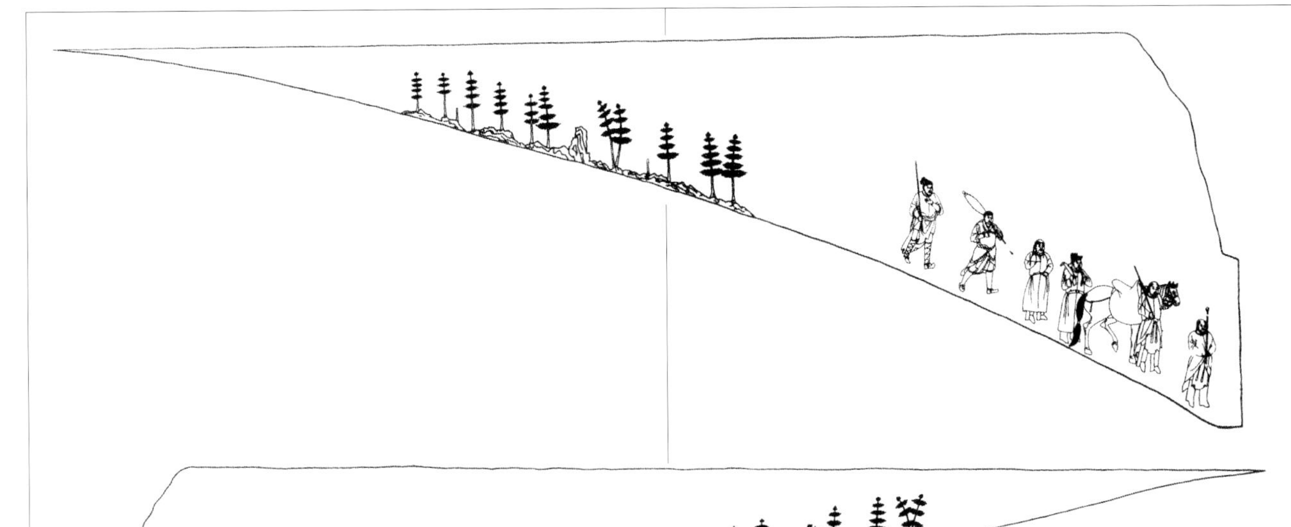

內蒙古庫倫旗7號遼墓墓道東壁和西壁壁畫示意圖

墓主圖

遼

出于內蒙古庫倫旗7號墓墓道東壁。

人物高170厘米。

圖中墓主人身穿紅色圓領窄袖長袍，足踏黑靴，雙手拱于胸前。

荷傘侍從圖

遼

出于内蒙古庫倫旗7號墓墓道西壁。

人物高154厘米。

圖中侍從頭戴黑色巾幘，蓄小髭，左手持傘柄，右手于胸前握拳。

荷傘侍從圖

遼

出于内蒙古庫倫旗7號墓墓道東壁。

人物高164厘米。

圖中侍從縛裹腿，穿麻鞋，右手持傘柄。

牽馬圖

遼

出于内蒙古庫倫旗7號墓墓道西壁。

人物高171厘米。

圖中牽馬者髡髮，留小髭，左手牽馬繮，右手握竿。

契丹人物圖

遼

出于内蒙古庫倫旗7號墓墓道西壁右側中下部。

圖中人物頭頂髡髮，八字小鬚，身着圓領窄袖長袍。

宴飲圖

遼

出于内蒙古敖漢旗四家子鎮羊山1號墓墓室東壁。

圖中主人半側身坐于仿木浮雕椅子上，身着紅袍，面前置一方几，桌子擺滿果品。主人身後一契丹人侍者捧盂侍立，身前兩漢人侍者一托盤盞，一捧罐。

品茶圖

遼

出于內蒙古敖漢旗四家子鎮羊山1號墓墓室南壁。

圖中前部一男童袖手壓扶于竹筒上鼾睡，竹筒旁一女童蹲于三足火盆之後，正燒火煮茶。後部置一大桌，桌旁兩侍者一捧果品，一捧盞，三位男子坐于桌後準備品茶。

奏樂圖

遼

出于内蒙古敖漢旗四家子鎮羊山1號墓墓室西壁。

圖中兩人均髡髮，着圓領緊袖長袍，一敲擊方響，一演奏拍板。

備飲圖

遼

出于内蒙古敖漢旗四家子鎮羊山3號墓墓道天井東壁。

圖中墓主端坐帳中，兩侍童備酒侍候。

烹飪圖

遼

出于内蒙古敖漢旗四家子鎮羊山3號墓墓道天井西壁。圖中白布亭下，左側第一人似爲墓主人，坐于圓凳上，表情嚴肅；右側立一人正指示中間兩人做事，一人準備從鍋中取肉切割，一人撅柴添火。

奏樂圖

遼

出于内蒙古敖漢旗四家子鎮羊山3號墓天井南壁西側。圖中二人均頭戴交角幞頭，身着圓領窄袖長袍，足蹬黑靴。左側人物吹橫笛，右側人物吹簫。

擊鼓圖

遼

出于内蒙古敖漢旗四家子鎮羊山3號墓天井南壁東側。圖中右者持紅色鼓槌擊鼓；左者身挂杖鼓，左手持鼓槌，右手拍鼓。

門吏圖

遼

出于内蒙古敖漢旗四家子鎮羊山3號墓。

圖中門吏腰佩長刀，雙手持竹柄骨朵。

牽馬者圖

遼

出于内蒙古敖漢旗豐收鄉北三家1號墓墓道西壁。

此圖爲牽馬者頭部局部。牽馬者髡髮，短鬚，身着藍色長袍，内襯紅衫。

馬球圖

遼

出于内蒙古敖漢旗瑪尼罕鄉七家村1號墓墓室西南壁。

圖中兩紅柱爲球門，門旁着黄袍回首者當爲守門員。

射獵圖

遼

出于内蒙古敖漢旗瑪尼罕鄉七家村1號墓墓室穹隆頂東北側。

圖中騎馬者上身前傾，拉滿弓正欲射箭。

海東青圖

遼

出于内蒙古敖漢旗瑪尼罕鄉七家村2號墓墓室西北壁。

圖中兩隻灰色海東青各立在倒“山”字形的鷹架上，均腿繫鷹鏈。

屏風

遼

出于内蒙古敖漢旗金廠溝梁鎮下灣子村1號墓墓室西北壁。

圖中繪兩隻八哥，一落于枯枝上，一栖于山石上，作對語狀。

雙鷄圖

遼

出于内蒙古敖漢旗金廠溝梁鎮下灣子村1號墓甬道東壁。

圖中一對雄鷄闊步向前，後者引吭高歌，前者回首聆聽。

宴飲圖

遼

出于内蒙古敖漢旗金廠溝梁鎮下灣子村1號墓墓室東壁。

圖中墓主端坐桌旁，桌上擺滿食物，侍從站立兩旁。

荷花圖

遼

出于内蒙古敖漢旗金廠溝梁鎮下灣子村5號墓墓室西北壁。

圖中前部繪兩片荷葉和四朵荷花，後部繪摇曳的蘆葦。

牡丹圖

遼

出于内蒙古敖漢旗金廠溝梁鎮下灣子村5號墓墓室北壁。圖中牡丹枝葉繁茂，花間蝴蝶飛舞。此畫用色彩直接暈染，爲無骨畫法作品。

侍衛圖

遼

出于内蒙古敖漢旗新惠鎮韓家窩鋪2號墓天井東壁。

圖中侍者頭戴黑氈帽，着窄袖長袍，足穿長筒靴，雙手持骨朵。

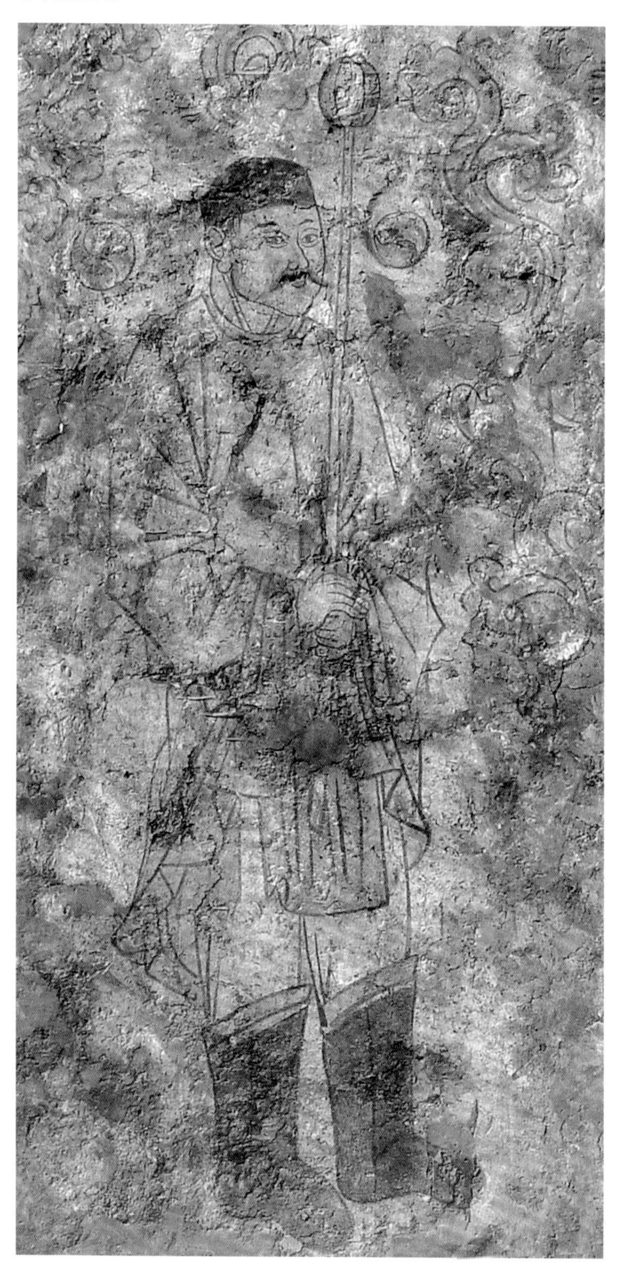

備飲圖

遼

出于内蒙古敖漢旗金廠溝梁鎮下灣子村5號墓墓室東南壁。

圖中四人戴交角幞頭，右起分别爲雙手捧大碗、托果盤、回首顧盼和肩扛酒罎。四人前置一方桌，桌上放温碗、執壺、酒盞和果盤。

備獵圖

遼

出于内蒙古敖漢旗貝子府鎮喇嘛溝遼墓墓室西壁。

圖中五人，前三人從左至右爲捧靴、架鷹和腰帶扁鼓；後二人分别手持弓箭和奚琴，作整裝待發出獵狀。

出行圖

遼

出于内蒙古敖漢旗貝子府鎮喇嘛溝遼墓墓室東壁。圖中前四人爲女侍，手持圓盒和團扇等，後兩位爲男侍，一牽馬一叉手而立。馬旁跟隨一犬。

墓門壁畫圖（上圖）

遼

出于內蒙古扎魯特旗浩特花1號遼墓。

高約400、寬約400厘米。

墓門正上方有兩組團花紋，其兩側各有雲紋襯托。墓門兩側各繪一侍吏，拱手而立，神情略顯呆滯。

人物圖

遼

出于內蒙古扎魯特旗浩特花1號遼墓後甬道東壁。

圖中五人均爲濃眉，除左側第二人無鬚外，其他人均有樣式不同的髭鬚。五人皆着圓領長袍和長褲。右側第一人腰挂鵝形飾物，右側第二人手執劍，左側第二人手執一儀鍠斧。

侍酒圖

遼

遼寧徵集。

木椁彩繪。

圖中左側爲一髡髮侍者，身着白袍，腰繫紅帶，足蹬皂靴；右側侍者頭戴軟帽，身着石青色團花長袍，繫紅腰帶。二人均拱手而立。桌上擺滿餐具，桌前矮几上排擺三隻大酒罎。

現藏遼寧省博物館。

侍者圖

遼

遼寧徵集。

木椁彩繪。

圖中兩侍者身着長袍，足蹬赤靴，腰纏紅色軟帶，插手侍立，神情肅穆。

現藏遼寧省博物館。

送酒人物圖（上圖）

遼

遼寧徵集。

木椁彩繪。

圖中一髡髮侍者身着灰長袍，足蹬皂靴，肩扛鷄腿酒罎疾步前行，同時回頭顧視身後另一侍者。後者身着白袍，前襟掖在腰間，露出珠形佩飾，懷抱鷄腿酒罎，緩步隨行。

現藏遼寧省博物館。

備宴圖

遼

遼寧徵集。

木椁彩繪。

圖中二侍者抬桌備宴，桌上擺滿食具。一侍者髡髮，一侍者戴軟帽。

現藏遼寧省博物館。

備茶圖

遼

出于河北張家口市宣化區下八里村張匡正墓前室東壁。

此墓墓主人葬于大安九年（公元1093年）。

圖中前部一童子跪地向茶爐内吹氣，一童子坐于地上碾茶，畫面後部一男子雙手展開取物，男子身後置方桌，桌上置茶具，兩侍女捧茶盞。

樂舞圖

遼

出于河北張家口市宣化區下八里村張匡正墓前室西壁。

圖中共八人，皆爲女子，樂隊七人戴花式幞頭，舞者頭束高髻、戴花。樂隊分别演奏腰鼓、琵琶、笙、横笛、觱篥、拍板和大鼓。

門吏圖

遼

出于河北張家口市宣化區下八里村張匡正墓後室拱門兩側。

圖中兩門吏均着左邊無袖衫，下穿短裙，脚穿麻鞋，雙手于胸前持杖。

門吏圖之一

門吏圖之二

侍女圖

遼

出于河北張家口市宣化區下八里村張匡正墓後室東壁。圖中左側侍女雙手持鏡，右側侍女左手托鉢，右手持巾。

門吏圖

遼

出于河北張家口市宣化區下八里村張匡正墓後室南壁拱門東側。

圖中門吏漢人裝束，叉手侍立。

撥燈侍女圖

遼

出于河北張家口市宣化區下八里村張匡正墓後室西壁。

圖中侍女頭束高髻，身穿白色短襦，下穿黄色長裙，左手執燈碗，右手撥燈。

仙鶴圖

遼

出于河北張家口市宣化區下八里村張匡正墓後室西壁。圖中仙鶴抬腿曲頸前行，富于動感。

牡丹圖

遼

出于河北張家口市宣化區下八里村張匡正墓後室北壁。牡丹插于花缸内，花缸置于圓形藤座上。

星象圖

遼

出于河北張家口市宣化區下八里村張匡正墓後室頂部。

畫面中心繪重瓣蓮花，四周繪二十八星宿、太陽和月亮。

張文藻墓前室西壁和東壁壁畫示意圖

張文藻墓前室西壁壁畫

張文藻墓前室東壁壁畫

樂舞圖

遼

出于河北張家口市宣化區下八里村張文藻墓前室西壁。

高145、寬170厘米。

此墓墓主人葬于大安九年（公元1093年）。

圖中後排五人演奏樂器，前排一人舞蹈，一人擊腰鼓伴舞。

茶坊嬉鬧圖

遼

出于河北張家口市宣化區下八里村張文藻墓前室東壁。

高145、寬170厘米。

圖中右側一男童跪于地，一男童站其肩上伸手從吊籃中取桃，另一男童兜衣襟接桃，桌旁一侍女手指取桃男童。左側有四童子藏于食盒和方桌後窺視。

侍女與仙鶴圖

遼

出于河北張家口市宣化區下八里村張文藻墓後室東壁。圖中左爲侍女捧茶，中間方桌上置文房四寶， 右爲仙鶴。

藻井圖

遼

出于河北張家口市宣化區下八里村張文藻墓前室頂部。

前室頂部四角以朱色捲雲紋彩帶作爲天幕骨架向上收縮成穹頂，正中繪蓮花藻井，周邊繪單枝花卉，藻井中間嵌一銅鏡。

彩繪星象圖

遼

出于河北張家口市宣化區下八里村張文藻墓後室頂部。

畫面按方位用朱色彩帶做出十六個梯形方框，再上爲圓形天幕，以表示星空，内繪太陽和二十八宿，中心繪蓮花藻井，藻井内嵌銅鏡。

啓門侍女圖

遼

出于河北張家口市宣化區下八里村張文藻墓後室西壁。
圖中侍女頭束三高髻，簪花，正在開鎖啓門。

門吏圖

遼

出于河北張家口市宣化區下八里村張文藻墓後室。
圖中門吏契丹裝束，腰佩玉柄短刀。

門神圖

遼

出于河北張家口市宣化區下八里村韓師訓墓前室北壁。

此墓墓主人葬于天慶元年（公元1111年）。

圖中門神戴盔穿甲，右手持棍。

門神圖

遼

出于河北張家口市宣化區下八里村韓師訓墓前室北壁。

圖中門神戴盔穿甲，怒目圓睁，右手持劍。

樂舞圖

遼

出于河北張家口市宣化區下八里村韓師訓墓前室東壁。圖中共九人，皆頭戴幞頭。最左側一人面對衆人平抬雙手，似爲指揮，其餘一人爲舞者，二人擊腰鼓，另幾人分别演奏觱篥、笙、横笛、拍板和大鼓。

出行圖

遼

出于河北張家口市宣化區下八里村韓師訓墓前室西壁。圖中繪一白馬，鞍轡齊全，等待出發。馬的旁邊爲馬夫，右手執鞭，左手牽馬。其後爲高棚大駝車，駝的旁邊爲馭者，左手牽引駝車行進。車前有一白棚，車後一男子，雙手抱于胸前。

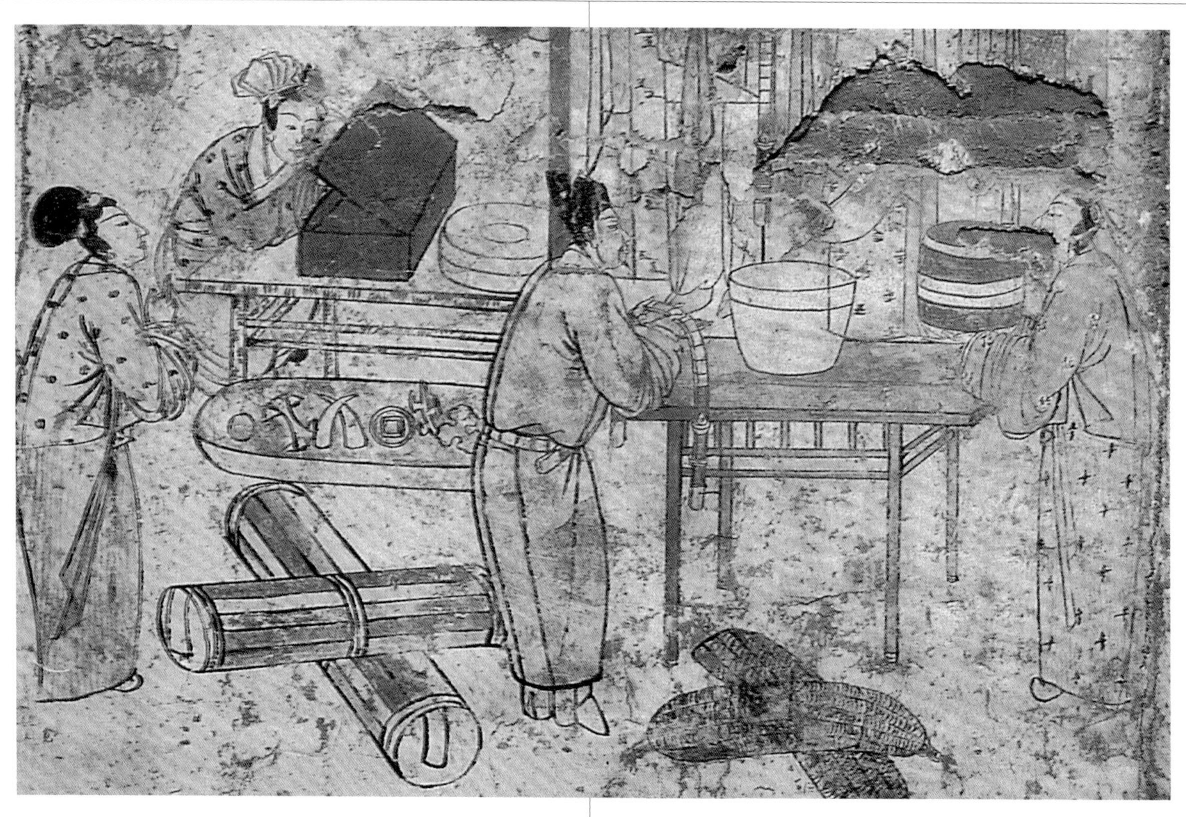

備裝圖（上圖）

遼

出于河北張家口市宣化區下八里村韓師訓墓後室西北壁。圖中左側第一人脚前叠放兩卷束帛；第二人正在桌上啓箱，桌下橢圓形容器中盛犀角、銅錢和銀錠等物；第三人手捧玉帶；第四人捧一圓盒；地面置成貫銅錢。

供奉圖

遼

出于河北張家口市宣化區下八里村韓師訓墓後室東北壁。圖中四人，女主人在供桌前雙手合十，做供奉狀。

飲茶聽曲圖

遼

出于河北張家口市宣化區下八里村韓師訓墓後室西南壁。

高142、寬144厘米。

圖中反映的是婦人飲茶、聽曲和觀舞的娛樂場景。

星象圖

遼

出于河北張家口市宣化區下八里村張世卿墓墓室頂部。

此墓墓主人葬于天慶六年（公元1116年）。

墓室頂部中心懸銅鏡，鏡周繪蓮花，蓮外繪成淡藍色，象徵天空。蓮花東北繪北斗七星，東繪太陽，內畫金烏。中間一層繪二十八宿，最外層繪黃道十二宮。

出行圖

遼

出于河北張家口市宣化區下八里村張世卿墓前室西壁。

高160、寬255厘米。

圖中五侍從持鞭、傘、帽、衣和茶盤，排列齊整。

門吏圖

遼

出于河北張家口市宣化區下八里村張世卿墓前室甬道口兩側。

圖中拱門兩側各繪一門吏，門吏戴黑色幞頭，雙手持杖，一穿紅衫，一穿藍衫。

樂舞圖

遼

出于河北張家口市宣化區下八里村張世卿墓前室東壁。

圖中樂隊由十二人組成，包括伴奏者和舞蹈者。

張世卿墓南壁壁畫

遼

出于河北張家口市宣化區下八里村張世卿墓後室南壁。

圖中拱門上部繪雙龍雲紋，拱門兩側爲備宴和侍者圖。

侍者圖

遼

出于河北張家口市宣化區下八里村張世卿墓後室南壁拱門西側。

圖中一人手捧長方形黑箱，一人捧圓形鉢，内盛雙陸。

備宴圖

遼

出于河北張家口市宣化區下八里村張世卿墓後室南壁拱門東側。

畫面中間爲紅色方桌，桌上置食器和酒器。桌前有酒几，上插放三個酒罎。桌後站立兩人，分别手托食盤和手捧執壺。

男女侍從圖

遼

出于河北張家口市宣化區下八里村張世卿墓後室東壁北部。

高125、寬140厘米。

圖中左側兩侍女立于五層大箱之後，一侍女手中托盤。右側兩男侍一持巾一持扇。

備經圖

遼

出于河北張家口市宣化區下八里村張世卿墓後室東壁。

高125、寬90厘米。

畫面中間置一方桌，桌上有香爐、托盞、黃色經函《金剛般若經》和《常清净經》。桌後兩男侍，一人雙手捧瓶，一人豎手指比劃。

張世卿墓後室西壁壁畫

遼

出于河北張家口市宣化區下八里村張世卿墓後室西壁。

此壁繪婦人啓門圖、點茶圖、持盂和持拂塵侍吏、啓箱侍女圖四組壁畫。

婦人啓門圖

遼

出于河北張家口市宣化區下八里村張世卿墓後室西壁。

高125、寬75厘米。

圖中婦人捧物推門而出。門上繪鳳游于雲間。

門吏圖

遼

出于河北張家口市宣化區下八里村張世卿墓後室北壁。

圖中兩門吏皆戴黑色幞頭，身穿團花錦衫，下着白褲，足穿圓口繫帶鞋，雙手于胸前持杖。

點茶圖

遼

出于河北張家口市宣化區下八里村張世卿墓後室西壁。

高125、寬100厘米。

圖中桌右側一人將執壺中的茶水傾入盞中，左側一人正用小匙將茶水調勻，表現的是兩人精心點茶的場面。

散樂圖

遼

出于河北張家口市宣化區下八里村張世古墓前室東壁。

高165、寬156厘米。

此墓墓主人葬于天慶七年（公元1117年）。

圖中爲五人樂隊，前面三人從右至左分别爲擊腰鼓、吹觱篥和吹笛，後兩人爲擊大鼓和拍板。

出行圖

遼

出于河北張家口市宣化區下八里村張世古墓前室西壁。

高165、寬156厘米。

圖中爲三人一馬。中心繪一白馬，鞍具齊全，馬首和馬尾側各站一馬夫，中間一人持傘。

進酒圖

遼

出于河北張家口市宣化區下八里村張世古墓後室東南壁。

高163、寬147厘米。

圖中左側置一桌，桌後站兩男子，一侍從雙手捧平底盤，盤中放花口碗，一人手執酒壺，作倒酒狀。畫面右側畫一門，兩婦人進出。

備茶圖

遼

出于河北張家口市宣化區下八里村張世古墓後室西南壁。

寬162、高157厘米。

圖中左側一老嫗左手持團扇，右手指點；中間侍女雙手捧黑漆托和白瓷盞；右側侍女髡髮，雙手持盂。桌前置一五足炭盆，內放一執壺。

屏風式花鳥圖

遼

出于河北張家口市宣化區下八里村張世古墓後室西北壁。圖中兩屏各繪一立于太湖石邊的仙鶴，一引頸而鳴，一回首顧盼。

星象圖

遼

出于河北張家口市宣化區下八里村張恭誘墓墓頂。

此墓墓主人葬于天慶七年（公元1117年）。

墓頂中央懸銅鏡，鏡周圍繪重瓣蓮花。蓮花外繪黄道十二宫，宫外繪二十八宿，二十八宿外側繪太陽和月亮。以上内容繪于藍底圓圈内，象徵天空。圈外繪一周十二生肖。

説器圖

遼

出于河北張家口市宣化區下八里村張恭誘墓後室東南壁。

高158、寬130厘米。

圖中一侍吏正向一官吏解説其手中瓷器，桌面上有一經匣。

煮茶圖

遼

出于河北張家口市宣化區下八里村張恭誘墓墓室西南壁。

高158、寬112厘米。

圖中左側一男童正在扇火煮茶，桌後兩男侍準備茶盞。

散樂圖

遼

出于河北張家口市宣化區下八里村遼6號墓。

高159、寬195厘米。

圖中八人，七人奏樂，一人舞蹈。前排自右起爲舞蹈者、擊腰鼓者和擊大鼓者；後排爲彈琵琶者、吹笛者、吹笙者、吹觱篥者和擊拍扳者。樂隊均頭戴形態各异的花裝幞頭，上插花，眉間塗一黑點。舞蹈者梳髻，上穿交領短衣，下穿褶裙和紅色褲，着紅色蔽膝，穿黑履。

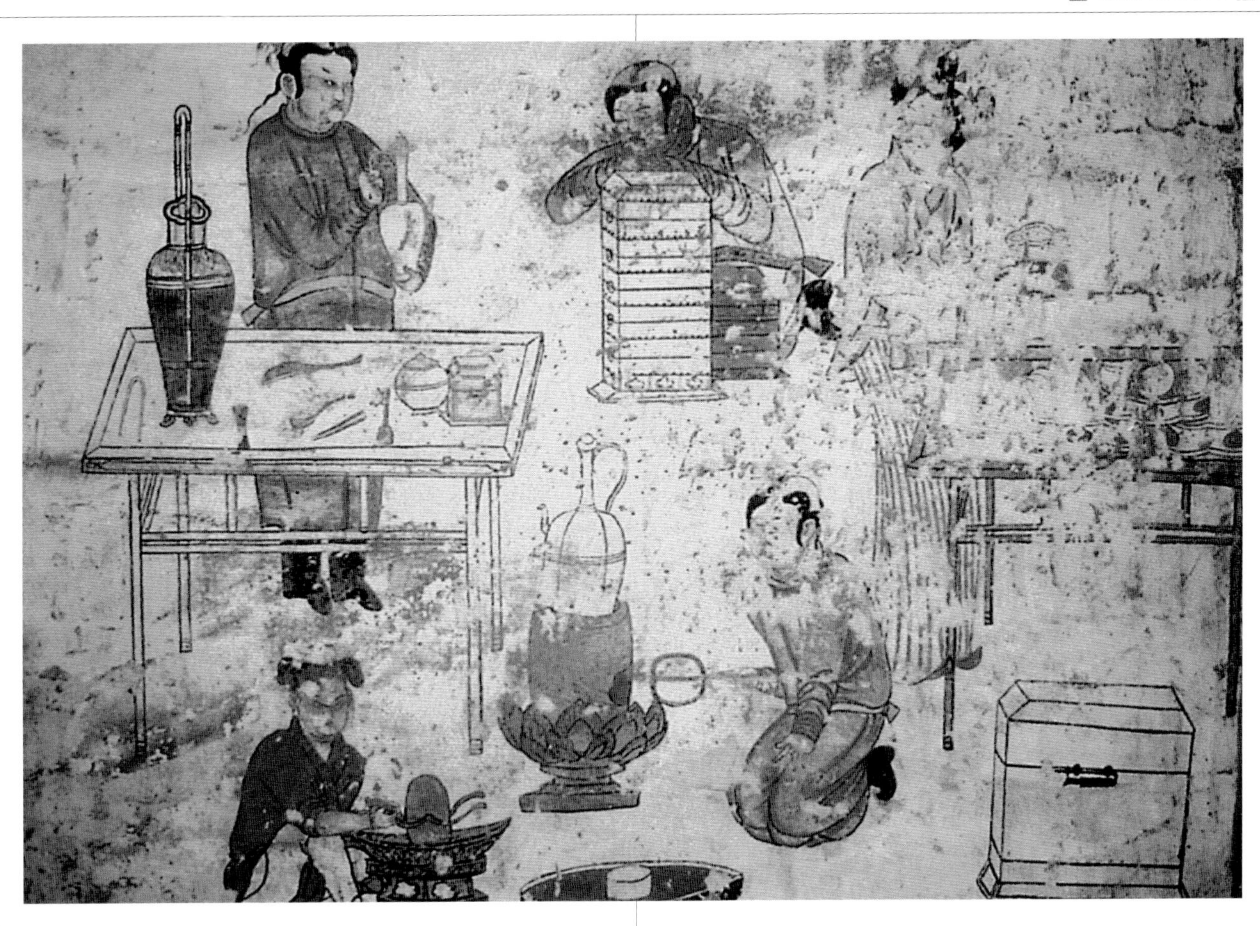

茶作坊圖（上圖）

遼

出于河北張家口市宣化區下八里村遼6號墓前室東壁。

高159、寬195厘米。

此畫面表現了取茶、碾茶、篩選和煮點等一系列工序。

侍女圖

遼

出于河北張家口市宣化區下八里村遼12號墓西壁。

圖中侍女立于圓壺門式盆架旁，架上置花口大盆，左上方懸一腰鼓狀皮箱。

散樂圖

遼

出于河北張家口市宣化區下八里村二區遼墓群1號墓西南壁。

圖中爲男裝女子五人，分别演奏不同樂器。

備酒圖

遼

出于河北張家口市宣化區下八里村二區遼墓群2號墓西壁。

圖中男侍手端盤，盤中放酒杯。

演樂圖

遼

出于河北張家口市宣化區下八里村二區遼墓群2號墓西南壁。

圖中五人或持道具或持樂器，正在表演。

持弓圖

遼

出于河北張家口市宣化區下八里村二區遼墓群2號墓東壁。

圖中契丹裝束男童右手抱弓袋，背上背箭囊。

牽馬圖

遼

出于河北張家口市宣化區下八里村二區遼墓群2號墓東南壁。

圖中馬夫左手持杆，右手牽馬，馬後男童手持兩根馬球杆。

端爐圖

北宋

出于山西平定縣城關鎮姜家溝村壁畫墓北壁磚雕槅扇門東側壁上。

高68、寬24厘米。

圖中侍女頭頂兩側束扁平雙丫髻，耳後對稱結鬟，雙手端一長柄香爐。

樂舞圖

北宋

出于山西平定縣城關鎮姜家溝村壁畫墓墓室東南壁。

高78、寬120厘米。

圖中兩童女在七名成年女子的合奏聲中翩翩對舞。

牡丹圖

北宋

出于河南禹州市白沙鎮3號宋墓墓室南壁。

此墓墓内有元符二年（公元1099年）題記。

圖中券門上以白色爲地，畫纏枝牡丹，牡丹兩側各畫一展翅飛翔的水禽。券門之上的栱眼壁間也以白色爲地畫一株牡丹。

蓮花寶蓋圖

北宋

出于河南禹州市白沙鎮1號宋墓前室和過道頂部。

前室頂部爲内收四層寶蓋式盝頂，前後室間過道頂爲内收三層式盝頂，合爲“丁”字形盝頂寶蓋。本圖即順此結構繪成，多種色彩和花紋相組合，顯得分外華麗奪目。

夫婦對坐宴飲圖

北宋

出于河南禹州市白沙鎮1號宋墓前室西壁。

高約90、寬約135厘米。

此畫兼采磚雕和繪畫技法，男女坐像、桌椅和捲簾等凸出壁畫5－10厘米。圖中間擺一方桌，桌上放水注和杯盞。桌兩側一對中年男女坐于靠背椅上，遠處幾位侍者捧奩、唾盂和果盤準備獻食。

對鏡梳妝圖

北宋

出于河南禹州市白沙鎮1號宋墓後室西南壁。

圖中描繪女主人睡起梳妝的場景。衆侍女手捧飾盒、茶水和梳妝用品于旁。

樂舞圖

北宋

出于河南禹州市白沙鎮1號宋墓前室東壁。

圖中繪女樂十一人，中間一人男裝，作舞蹈狀，其餘十人演奏各種樂器伴奏。

獻食圖

北宋

出于河南禹州市白沙鎮2號宋墓墓室東南壁。

圖中左側女子凝目沉思，右側兩捧食端茶侍女竊竊私語。

宴樂圖（上圖）

北宋

出于河南禹州市白沙鎮2號宋墓墓室西南壁。

畫面正中置高桌，桌上放水注及果品等。主人坐于桌兩側，桌後女侍擊拍板，男侍叉手而立。

牡丹雙禽圖

北宋

出于河南禹州市白沙鎮2號宋墓墓室南壁甬道入口上部。

圖中門額中間繪一朵盛開的牡丹，兩側各有一隻飛翔的水禽。

黑山溝北宋壁畫墓墓室壁畫展開示意圖

北宋

此墓墓主人葬于紹聖四年（公元1097年）。

墓室各壁面均在地杖上繪壁畫，墓頂、建築構件則直接在白灰層上繪圖案。墓室内壁畫共計二十二幅，自下而上依建築結構分爲三部分：墓室壁面共六幅，主要反映墓主人的日常生活場景，壁畫每幅高135、寬80厘米；栱眼壁共八幅，均爲孝行圖；斗栱與垂花飾之間共八幅，内容多樣。

備宴圖

北宋

出于河南登封市城關鎮黑山溝村北宋壁畫墓墓室西南壁。

高135、寬80厘米。

圖右側擺方桌，桌上置托盤、茶盞、盞托、小罐和水果等。桌左側婦人右手持罐，左手持茶匙攪茶；桌後婦人右手指點，正在與攪茶婦人談話。

伎樂圖（右圖）

北宋

出于河南登封市城關鎮黑山溝村北宋壁畫墓墓室西壁。

高135、寬80厘米。

圖中右邊兩人爲女樂，分别演奏笙和拍板。女樂身後立一侍女，正在從火爐上把酒注端起。

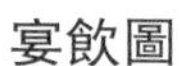

宴飲圖

北宋

出于河南登封市城關鎮黑山溝村北宋壁畫墓墓室西北壁。

高135、寬80厘米。

圖正中擺方桌，桌上放茶盞，桌旁男女主人對坐于靠背椅上。男主人袖手，頭戴黑色無脚幞頭，身着圓領窄袖衫。女主人頭裹額帕，身穿褐色褙子，下着細褶裙。兩人身後立兩扇插屏式屏風，一侍女正從屏風後走出，手捧注子和注碗。

育兒圖

北宋

出于河南登封市城關鎮黑山溝村北宋壁畫墓墓室東北壁。

高135、寬80厘米。

圖中繪兩婦人各抱一小兒，右側婦人手拿點心遞給左側的小兒。圖左側有一方几，几上蹲狸猫，口叼黄雀。

家居圖

北宋

出于河南新密市平陌村宋墓墓室西壁。

圖中內側青年男女對坐，外側老年男女對坐，應爲一家四口長幼兩對夫妻正在進食。

梳妝圖

北宋

出于河南新密市平陌村宋墓墓室西南壁。

此墓墓主人葬于大觀二年（公元1108年）。

圖中少婦右手握釵，左手握素色高冠，正對鏡梳妝，鏡中映出其面容。

四洲大聖度翁婆（上圖）

北宋

出于河南新密市平陌村宋墓墓室西北壁上部。

圖中左側祥雲内立三人，中間戴風帽者爲泗州大聖，手持經卷，身旁一僧人手持錫杖，身後侍女右臂搭帔帛。圖右側二老人跪于毯上，合十禱告，身後有題記“四（泗）洲（州）大聖度翁婆”。

仙界樓宇圖

北宋

出于河南新密市平陌村宋墓墓室北壁上部。

圖中雲氣中層樓涌出，樓宇高大巍峨。

宴飲與厨事圖

北宋

出于河南新安縣李村1號墓墓室北壁和西北壁。

宴飲圖高105、寬94厘米；厨事圖高103、寬97厘米。

墓室北壁爲宴飲圖，繪主人夫婦對坐，前置案桌，桌上置水注、杯盞、酒樽和果盤。侍者在一旁侍主。西北壁爲厨事圖，圖中右數第二人正捧一黑色容器向敞口盆中倒注。

童子圖

北宋

出于河南登封市城南莊村宋壁畫墓墓室栱間壁。

圖中童子身着白色圓領窄袖袍，周圍繪折枝牡丹花。

童子圖之一

童子圖之二

婦人圖

北宋

出于河南登封市城南莊村宋壁畫墓墓室下部西壁。

圖中婦人頭戴蓮花冠，插步摇，着粉紅色褙子，顯得雍容華貴。

梳妝圖

北宋

出于河南登封市城南莊村宋壁畫墓墓室下部西南壁。

圖中左婦人頭梳高髻，身着粉紅色交領窄袖襦，仰面右視。右婦人頭梳高髻，身着白色窄袖褙子，右手抬至額際，作理鬢狀。

女主人像

北宋

出于河南登封市大金店鎮箭溝村宋壁畫墓墓室西壁。

女主人黄巾包頭，巾掩雙耳，着藍色褙子，襟飾兩列珠子。

侍女圖

北宋

出于河南登封市城南莊村宋壁畫墓墓室下部西壁。

圖中侍女頭梳高髻，插白色角梳，着白色窄袖褙子，右手提舉注子至胸前。

備宴圖

北宋

出于河南登封市大金店鎮箭溝村宋壁畫墓墓室東北壁。

桌案後面立七人，各人手持盒、瓜形物和折扇等。

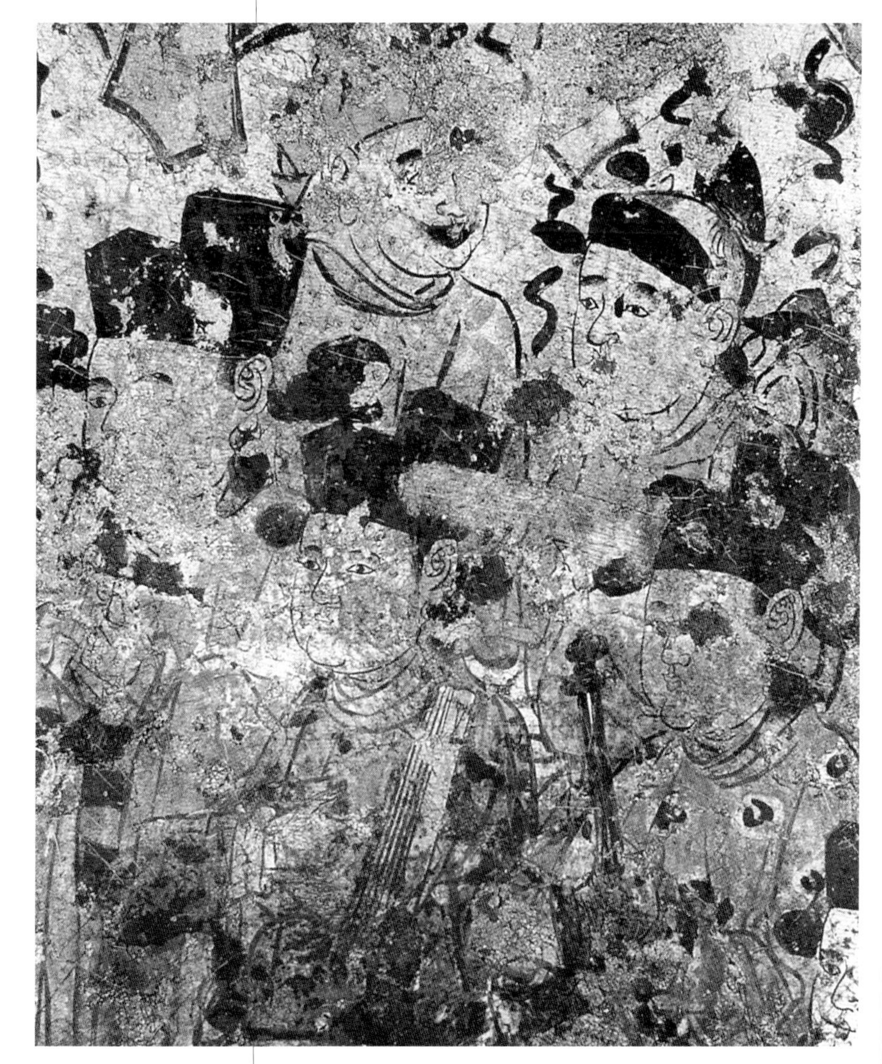

伎樂圖

北宋

出于河南登封市大金店鎮箭溝村宋壁畫墓墓室東壁。

圖中人物皆爲男性，頭戴短脚幞頭，手中持拍板、鼓槌和筒狀物等。此圖爲局部。

蒿里老人圖

西夏

出于甘肅武威市西郊林場西夏2號墓。

彩繪木板壁畫。

高28、寬10.5厘米。

圖中老者頭戴黑色雲鏤冠，手執竹杖，神態沉穩。板畫側面有漢文榜題“蒿里老人”四字。

現藏甘肅省博物館。

武士圖

西夏

出于甘肅武威市西郊林場西夏2號墓。

彩繪木板壁畫。

高15.5厘米。

圖中武士雙脚叉立，兩手抱拳，昂首瞠目，唇上蓄兩撇髫鬚，威風凛然。

現藏甘肅省博物館。

男侍圖

西夏
出于甘肅武威市西郊林場西夏2號墓。
彩繪木板壁畫。
高16、寬6.5厘米。
圖中男侍面露笑容，彎腰施禮，顯得格外謙卑。
現藏甘肅省博物館。

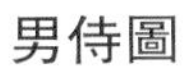

武士圖

西夏
出于甘肅武威市西郊林場西夏2號墓。
彩繪木板壁畫。
高15厘米。
圖中武士年輕英俊，顯露出少年得志、英姿勃發的神態。
現藏甘肅省博物館。

女侍圖

西夏

出于甘肅武威市西郊林場西夏2號墓。

彩繪木板壁畫。

高10.5、寬5厘米。

圖中女侍頭梳鬟髻，黑帶束腰，雙手捧唾壺，壺下墊一長巾。

現藏甘肅省博物館。

男侍圖

西夏

出于甘肅武威市西郊林場西夏2號墓。

彩繪木板壁畫。

高14、寬7厘米。

圖中男侍高鼻深目，闊耳白鬚，手中似持一盒狀物。

現藏甘肅省博物館。

侍吏圖

西夏

出于甘肅武威市西郊林場西夏2號墓。

彩繪木板壁畫。

高10、寬6厘米。

圖中侍吏頭戴幞頭，雙目前視，作恭聽狀。

現藏甘肅省博物館。

五男侍圖

西夏

出于甘肅武威市西郊林場西夏2號墓。

彩繪木板壁畫。

高12、寬21.5厘米。

圖中五人面左，髮式皆兩鬢翹起，由左至右依次爲拱手佩劍、拱手背包袱、雙手抱盤、雙手托壺和肩披長巾。

現藏甘肅省博物館。

五侍女圖

西夏

出于甘肅武威市西郊林場西夏2號墓。

彩繪木板壁畫。

高11.5、寬21.5厘米。

圖中五人面右，左數第一人披髮，餘者髮式皆爲高髻，由左至右依次爲袖手而立、袖手挎包袱、雙手舉拂塵、雙手托盤和雙手捧盒。

現藏甘肅省博物館。

馭馬圖

西夏

出于甘肅武威市西郊林場西夏2號墓。

彩繪木板壁畫。

高8、寬14厘米。

圖中馬四蹄奔騰，馭者執鞭疾跟，動態十足。背面墨書漢字“六大”。

現藏甘肅省博物館。

捧印童子圖

西夏
出于甘肅武威市西郊林場西夏2號墓。
彩繪木板壁畫。
高16厘米。
圖中童子頭梳羊角雙鬟髻，雙手托盤，盤上官印以紅帛包裹。
現藏甘肅省博物館。

三足烏圖

西夏
出于甘肅武威市西郊林場西夏2號墓。
彩繪木板壁畫。
高15、寬7厘米。
圖中三足烏繪于太陽中，太陽之下繪捲雲，木板側面墨題漢字“太陽”。
現藏甘肅省博物館。

雙頭龍圖（上圖）

西夏

出于甘肅武威市西郊林場西夏2號墓。

彩繪木板壁畫。

高9.5、寬4.5厘米。

圖中兩龍雙首對望，闊嘴長舌。

現藏甘肅省博物館。

備食圖

金

出于北京石景山區八角村趙勵夫婦墓墓室。

圖中繪侍者七人，正準備把食物端送主人。

李高鄉宋村金墓墓室壁畫圖（上圖）

金

出于山西屯留縣李高鄉宋村金墓北壁。

此墓墓主人葬于天會十三年（公元1135年）。

圖下部中間假門内繪夫婦對坐，假門兩側繪勞作圖，上部繪二十四孝人物。

雜劇人物圖

金

出于山西屯留縣李高鄉宋村金墓南壁右側。

圖左起第二人有“王貴”二字題名。

放牧圖

金

出于河北井陘縣柿莊6號墓墓室南壁拱門兩側。

高100厘米。

拱門西側繪一牧童驅趕牲畜前行。東側繪一牧人帶一牧羊犬放羊十隻。

拱門西側放牧圖

搗練圖

金

出于河北井陘縣柿莊6號墓墓室東壁。

高100、寬240厘米。

畫面由擔水、熨帛和曬衣三部分構成，畫面完整而精美。

拱門東側放牧圖

駝運圖（上圖）

金

出于山西平定縣西關村1號墓墓室東南壁。

高78、寬112厘米。

圖中一胡人牽駝載物而行，胡人頭戴捲沿氈帽，腦後蓄髮辮。

馬厩圖

金

出于山西平定縣西關村1號墓墓室西南壁。

高78、寬112厘米。

圖中兩馬夫正在喂養兩匹卸去鞍具的馬。

雜劇圖（上圖）

金

出于山西平定縣西關村1號墓墓室東壁。

高78、寬112厘米。

畫面表現的是雜劇中常見的滑稽表演。

尚物圖

金

出于山西平定縣西關村1號墓墓室東北壁。

高78、寬112厘米。

圖中右側三婦女和一老翁正在左側持鏡婦女的前引下，將手中所執物品送到某處。

尚物圖（上圖）

金

出于山西平定縣西關村1號墓墓室西北壁。

高78、寬112厘米。

圖中最右側一人雙手握骨朵，隨後兩男子捧包和抱瓶，最左側老者一手提籃，一手提包，正在運送物品。

進奉圖

金

出于山西平定縣西關村1號墓墓室西壁。

高78、寬112厘米。

圖中右側一小吏，回身招手，左側三人抬一斗狀箱，箱內放酒罎和什物。

舜子圖（上圖）

金

出于山西長子縣石哲金墓墓室西壁右上角。

高28、寬26厘米。

此墓有正隆三年（公元1158年）題記。

畫面表現舜子盡孝感動天地，耕田時各種動物紛紛相助的神話故事。

董永與郭巨圖

金

出于山西聞喜縣下陽村金代1號墓墓室東壁窗欞上方。

高35、寬50厘米。

此墓有明昌二年（公元1191年）題記。

畫面表現二十四孝故事中的兩則，左爲董永葬父與織女相遇的故事，右爲郭巨埋子、養母盡孝的故事。

侍女圖（上圖）

金

出于甘肅武山縣文家村西旱坪金墓。

高37、寬40厘米。

此墓有泰和六年（公元1206年）題記。

圖中侍女手捧盤，盤上有食物。

夫婦對坐圖

元

出于内蒙古赤峰市元寶山區沙子山1號元墓墓室北壁。

高94、寬243厘米。

圖中帳帷下男女墓主人相對而坐，身後侍者捧物侍立。

現藏内蒙古自治區赤峰市博物館。

冲茶圖

元

出于內蒙古赤峰市元寶山區沙子山2號元墓墓室北壁。

畫面表現的是以開水直接冲茶的點茶場景，已不同于唐宋時先煮後點的習慣。

宴飲圖

元

出于內蒙古凉城縣蠻漢鎮後德勝村元壁畫墓墓室北壁。

長210、寬70厘米。

圖中男主人與兩夫人端坐堂上，兩旁各有兩侍女布置食桌。

游樂圖（上圖）

元

出于遼寧凌源市富家屯1號墓墓室東壁。

高90、寬173厘米。

畫面表現墓主人郊游賞樂場面。

探病圖

元

出于遼寧凌源市富家屯1號墓墓室北壁。

高100、寬216厘米。

圖中帷幔下置一大床，床上一人蒙被而卧，數人立于床前，作探視狀。

侍女圖

元

出于北京門頭溝區齋堂村墓葬墓室南壁西側。

圖中二侍女面帶微笑，手捧果盤。人物高者67、低者56厘米。

孝悌故事圖

元

出于北京門頭溝區齋堂村墓葬墓室北壁。

高120、寬150厘米。

畫面以樹木隔爲三幅，左爲孝孫原轂故事，中爲趙孝宗捨己救弟故事，右爲丁蘭事親故事。

梅竹雙禽圖

元

出于河南登封市大金店鎮王上村壁畫墓墓室北壁。

高120、寬100厘米。

圖中右側瑞禽舉足欲前，左側瑞禽回首顧盼，與竹梅湖石相映成趣。

三鶴嬉水圖

元

出于河南登封市大金店鎮王上村壁畫墓墓室東北壁。

高120、寬105厘米。

畫面爲在翠竹、蘆葦襯托的水泊中，三隻仙鶴或低首啄食，或顧步前行，或勾頸頷首的景狀。

論道圖

元

出于河南登封市大金店鎮王上村壁畫墓墓室東壁。

高120、寬105厘米。

畫面爲在山間小路上，一白衣人手牽黄牛，與一坐于路邊大石上的黄衣人對話。

升仙圖

元

出于河南登封市大金店鎮王上村壁畫墓墓室西壁。

高120、寬105厘米。

圖中左下方黄衣人拱手，作道别相送狀。白衣人足踏一道雲氣，已飛至半空，回首下視黄衣人。

侍女與童子圖

元

出于河南登封市大金店鎮王上村壁畫墓墓室東南壁。全幅畫高120、寬105厘米。

圖中三侍女，最前邊一人雙手托盤，盤上有盞；中間一人雙手執長柄團扇；後邊一人雙手捧抱大銅鏡，抱鏡侍女身後有一幼童探身而視，左手執一玩偶。

侍女圖

元

出于河南登封市大金店鎮王上村壁畫墓墓室西南壁。

圖中繪三侍女，最前面的侍女身形高大，雙手托盤，盤中有盞，後面二侍女一托果盤一抱瓶。

疏林晚照圖

元

出于山西大同市宋家莊馮道真墓墓室北壁。

高91、寬270厘米。

此墓有至元二年（公元1265年）題記。

此圖爲水墨畫，無着色。畫面右上題“疏林晚照”四字。

道童圖

元

出于山西大同市宋家莊馮道真墓墓室東壁。

圖中小童右手托碗，左手于胸前持物。小童身後置一方桌，桌上放碗、茶盞和罐等。

雙雁對飛圖（下圖）

元

出于陝西蒲城縣洞耳村元墓拱形甬道内口的上側和邊沿。

此墓有至元六年（公元1269年）題記。

圖中雙雁口銜荷花。甬道口兩側墨繪忍冬捲草，圖案寬約14厘米。

夫婦對坐圖（上圖）

元

出于陝西蒲城縣洞耳村元墓墓室北壁、西北壁和東北壁。

高175、寬300厘米。

男女墓主人身後座屏頂部繪出一方形板框，上書墨字題記，記有墓主人夫婦姓名、籍貫和下葬年月。

獻酒圖

元

出于陝西蒲城縣洞耳村元墓墓室西側。

高182、寬209厘米。

畫面表現的是獻酒餞別的場面。

樂舞圖（上圖）

元

出于陝西蒲城縣洞耳村元墓墓室東側。

高182、寬214厘米。

圖中表現了蒙古貴族隨侍樂舞相娛的場面。左側第一人似爲墓主，醉意朦朧。

戲花童子

元

出于陝西蒲城縣洞耳村元墓墓室頂部偏下方。

墓頂壁畫由四個層次的圖案組成：最下方簾幔圖案；再上爲梁枋彩畫，共有八方；第三層由四方戲花童子和四方火焰珠間布組成；最上方裝飾一周如意雲頭。第三層南北兩側繪童子手拽牡丹，畫面相同，此爲其中之一。

雜劇圖

元

出于山西運城市西里莊元墓墓室東壁。

高87、寬232厘米；人物高60–70厘米。

此圖與西壁雜劇演出場面相對，圖中各人手持樂器，當爲給雜劇伴奏的樂隊。左側扛竿童子，可能屬于宋元時隊舞中的舞兒。

雜劇圖

元

出于山西運城市西里莊元墓墓室西壁。

高87、寬232厘米；人物高60–65厘米。

圖中左起第一人爲末角，正報劇名《風雪奇》，第二人爲净角，第三人爲生角，第四人爲丑角，第五人爲旦角，最右側爲道具。

雜劇圖（上圖）

元

出于山西新絳縣吴嶺莊元墓墓室南壁墓門上方。

高20、寬110厘米。

此墓有至元十六年（公元1279年）題記。

雜劇畫面爲浮雕，經彩繪後形同壁畫，表現了早期元雜劇的演出情况和生旦净末等角色分工。

備宴圖

元

出于陝西西安市黄河機械製造廠元壁畫墓墓室西壁。

高80、寬140厘米。

此墓墓主人葬于至元二十五年（公元1288年）。

圖中左側放一方桌，桌上置瓶，瓶中插珊瑚。侍者五位，分别手持罐、果盤、春瓶和盞盤等。

孝義故事圖

元

出于河北涿州市東關村李儀夫婦墓墓室東南壁。
此墓墓主人合葬于至元五年（公元1339年）。
圖中繪多種孝義故事，以山巒將各個故事隔開。

孝義故事圖

元

出于河北涿州市東關村李儀夫婦墓墓室西南壁。

圖中繪多種孝義故事。

竹雀圖（上圖）

元

出于河北涿州市東關村李儀夫婦墓墓室北壁。

圖中繪兩隻雀鳥栖于竹枝上，相互啼鳴。

侍奉圖

元

出于河北涿州市東關村李儀夫婦墓墓室東壁。

圖中侍女頭戴翹式幞頭，鬢兩側貼鳳翅，身着圓領長衣，手中捧物侍奉。

門衛圖

元

出于山東濟南市千佛山元墓門洞西壁。

高129、寬76厘米。

圖中門神戴盔穿甲，手持長柄斧。

冬歸圖

元

出于山東濟南市千佛山元墓前室西壁南端。

高53、寬91厘米。

圖中山路上三人行進，前面一男侍背圓包，正回首觀望紅袍主人。

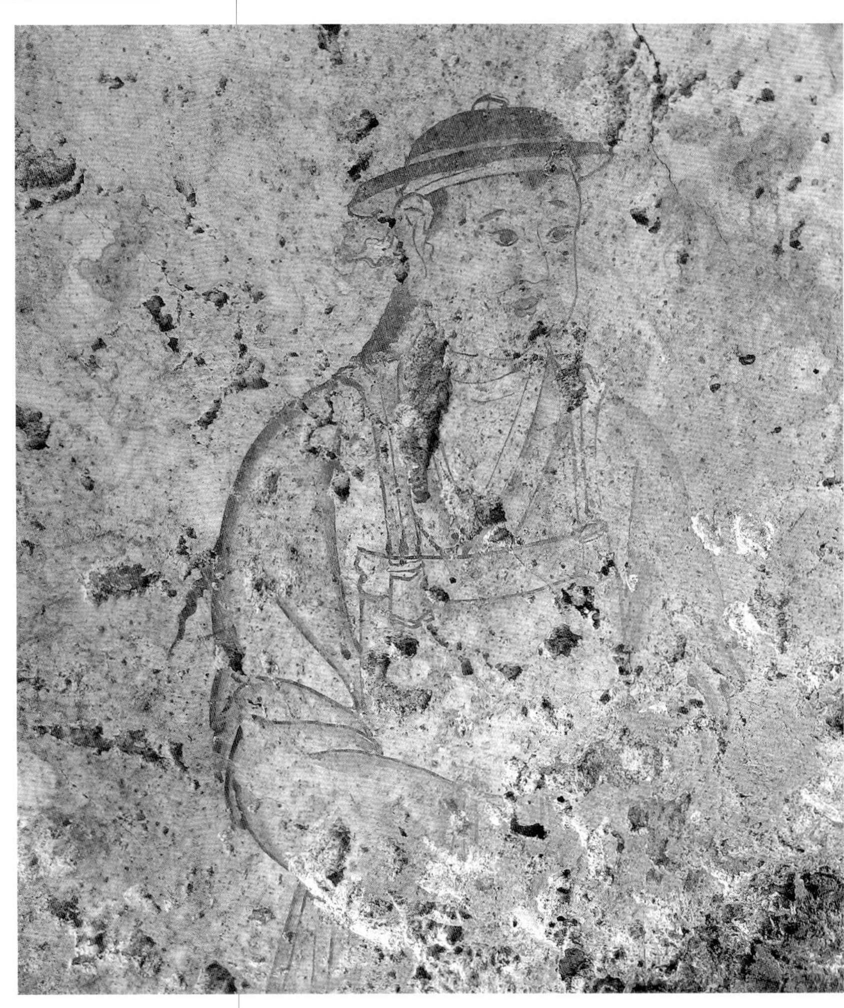

侍衛

元

出于重慶巫山縣廟宇鎮。

侍衛繪于墓口處，頭有包頭，外戴笠子帽，身着背帶褲，袖手而立。

現藏重慶中國三峽博物館。

觀畫圖

元

出于重慶巫山縣廟宇鎮。

圖中一老者和一年青人，展開畫卷正在觀賞。

現藏重慶中國三峽博物館。

讀書圖（上圖）

元

出于重慶巫山縣廟宇鎮。

圖中樹下一長者正在讀書，二侍者拱手侍立。

現藏重慶中國三峽博物館。

花鳥圖

元

出于重慶巫山縣廟宇鎮。

空中小鳥展翅而飛，地上花草茂盛。

現藏重慶中國三峽博物館。

墓室壁畫分布圖

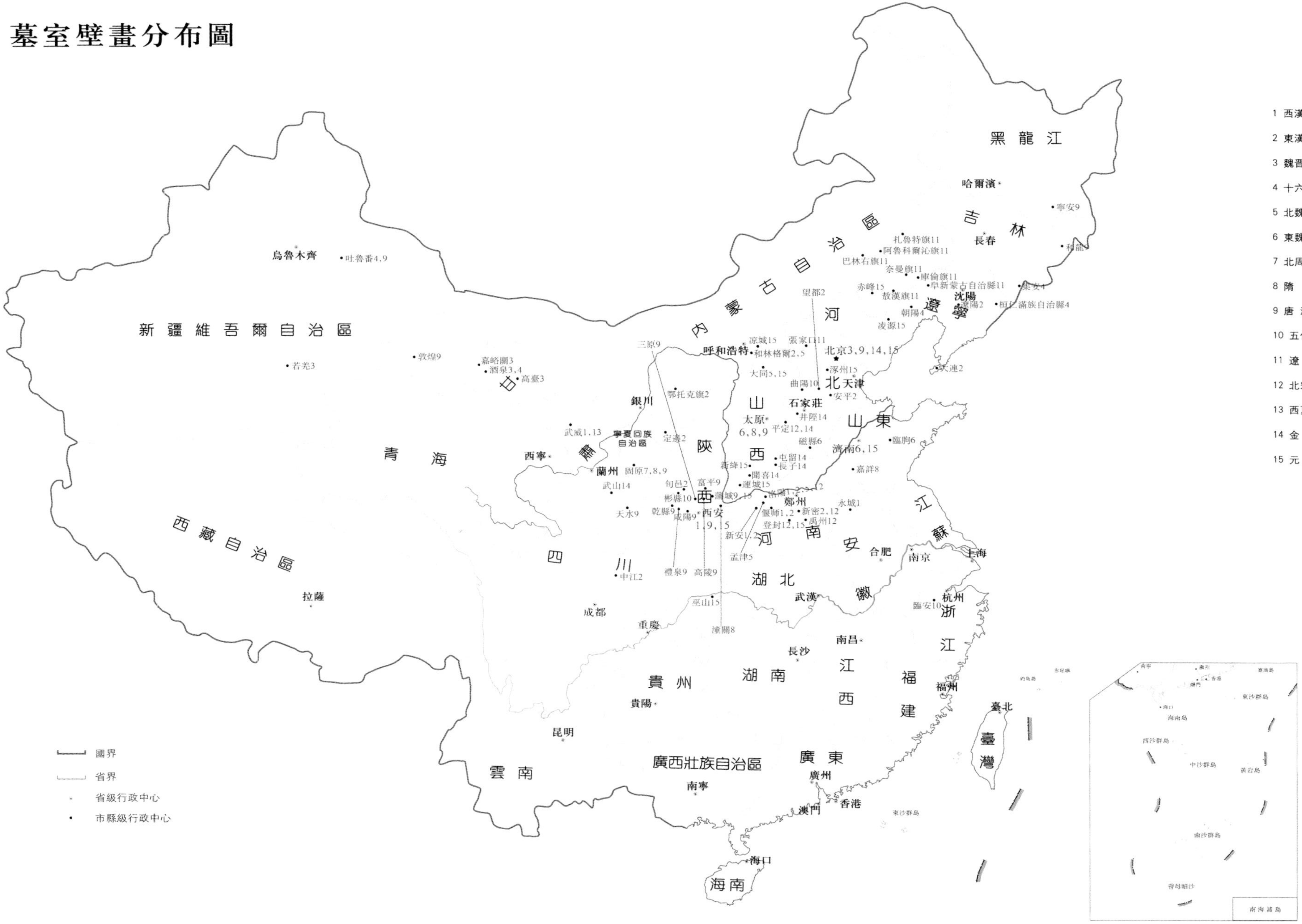

1 西漢 新
2 東漢 三國
3 魏晉 西晉
4 十六國 高句麗
5 北魏
6 東魏 北齊
7 北周
8 隋
9 唐 渤海國
10 五代十國
11 遼
12 北宋
13 西夏
14 金
15 元

圆界
省界
省級行政中心
市縣級行政中心

吐魯番4,9
若羌3
敦煌9
嘉峪關3
酒泉3,4
高臺3
武威1,13
固原7,8,9
武山14
天水9
鄂托克旗2
定邊2
三原9
旬邑2
彬縣10
乾縣9
咸陽9
富平9
蒲城9
西安1,9,15
禮泉9
高陵9
中江2
巫山15
濮關8
涼城15
和林格爾2,5
大同5,15
張家口11
北京3,9,14,15
涿州15
曲陽10
安平2
望都2
井陘14
平定12,14
太原6,8,9
磁縣6
屯留14
長子14
新絳15
聞喜14
運城15
洛陽1,2,3,5,12
偃師1,2
新密2,12
禹州12
登封12,15
新安1,2
孟津5
永城1
濟南6,15
臨朐6
嘉祥8
臨安10
赤峰15
敖漢旗11
巴林右旗11
扎魯特旗11
阿魯科爾沁旗11
奈曼旗11
庫倫旗11
阜新蒙古自治縣11
朝陽4
凌源15
遼陽2
集安4
桓仁滿族自治縣4
寧安9
和龍9
大連2

年　表

（紅色字體爲本卷涉及時代）

新石器時代（公元前8000年－公元前2000年）

夏（公元前21世紀－公元前16世紀）

商（公元前16世紀－公元前11世紀）

西周（公元前11世紀－公元前771年）

春秋（公元前770年－公元前476年）

戰國（公元前475年－公元前221年）

秦（公元前221年－公元前207年）

漢（公元前206年—公元220年）

　　西漢（公元前206年—公元8年）

　　新（公元9年—公元23年）

　　東漢（公元25年—公元220年）

三國（公元220年—公元265年）

西晋（公元265年—公元316年）

十六國（公元304年—公元439年）

東晋（公元317年－公元420年）

北朝（公元386年—公元581年）

　　北魏（公元386年—公元534年）

　　東魏（公元534年—公元550年）

　　西魏（公元535年－公元556年）

　　北齊（公元550年—公元577年）

　　北周（公元557年—公元581年）

南朝（公元420年－公元589年）

隋（公元581年—公元618年）

唐（公元618年—公元907年）

五代十國（公元907年—公元960年）

遼（公元916年—公元1125年）

宋（公元960年—公元1279年）

　　北宋（公元960年—公元1127年）

　　南宋（公元1127年－公元1279年）

西夏（公元1038年—公元1227年）

金（公元1115年—公元1234年）

元（公元1271年—公元1368年）

明（公元1368年－公元1644年）

清（公元1644年－公元1911年）